乔小囧 著

我们为何
欢庆失眠

中国华侨出版社

图书在版编目（CIP）数据

我们为何欢庆失眠 / 乔小囵著. —北京：中国华
侨出版社，2013.10
　　ISBN 978-7-5113-4109-9

　　Ⅰ．①我… Ⅱ．①乔… Ⅲ．①中篇小说—小说集—中
国—当代 ②短篇小说—小说集—中国—当代
Ⅳ．①I247.7

　　中国版本图书馆CIP数据核字(2013)第232046号

我们为何欢庆失眠

著　　者：乔小囵
出 版 人：方　鸣
责任编辑：羽　子
经　　销：新华书店
开　　本：710mm×1000mm　1/32　印张：7　字数：162千字
印　　刷：北京京都六环印刷厂
版　　次：2014年1月第1版　　2014年1月第1次印刷
书　　号：ISBN 978-7-5113-4109-9
定　　价：32.80元

中国华侨出版社 北京市朝阳区静安里 26 号通成达大厦 3 层 邮编：100028
法律顾问：陈鹰律师事务所
发 行 部：（010）82068999 传真：（010）82069000
网　　址：www.oveaschin.com
E-m a i l：oveaschin@sina.com

如发现图书质量问题，可联系调换。质量投诉电话：010-82069336

献给林嘉。没有你，这本书将不会开始。

To my dear JL,without whom this book would have been
completed four months earlier.

序

与小囧老师相识已久，知心不换命的朋友。很大程度上我拿他当自己弟弟一样，希望他好，但别比我还好。嗯哼。我们聚在一起的大多时候是喝酒逗贫，用一种不正经的方式在这座我们混迹着却永远无法融入的陌生城市相互取暖。在小囧初到北京的相当长一段时间里，我们几乎每星期有五天混在一起，因为身旁都没有女人，也没正经营生，组个小酒局聚一起推杯换盏，成了我们对抗每天无所事事之寂寞与对未来没着没落之惶恐的最有效办法。现在回忆起来，那么频繁的见面，我们从未吵架翻脸，也没发展成断臂蓝宇，实在值得庆幸。

小囧来北京短短几年，剧本已经化成影像，文字也已经铅字出版，实在令我惊喜。说句俗不可耐的评价，皆因小囧够努力，而且他的努力不是口号式的，而是那种有方向有目标心中有数、不显山不露水默不张扬的努力，他是真正属于那种"哪里有什么眼袋，我只不过是把别人睡觉的时间用在了熬夜上"的人。

相信目前很多人，乃至读者认识乔小囧都是因为微博，但如他如我这种现实中知己知彼的人都知道，微博只是一种壳，甚至是对真实自己的一种保护。真正的乔小囧有一种与生俱来的敏感与细腻，这也正是这本书里的文字所呈现出来的状态。而且他的细腻与敏感是有分寸的，不会矫情而造作，不会为赋强说愁。这和微博上的小囧是截然相反的两张面具，若是我说，这本书中文字背后的小囧才是更真实的他，没有陆瑟和林嘉，没有那些平淡却刺骨的故事，一切都是他自己，他的回忆、他的想象、他的向往。一个真实的、曾经没有方向的、不知道还该不该热爱生活的乔小囧。

如今我和小囧隔三差五还会相聚，每一次见面我都会有些许惊喜，他一直在改变，变得稳重，成熟。我知道这样的赞美何其肉麻，但这是我真实的看法，看到自己的朋友在向着越来越好的方向越来越好地成长，就如同看到自己媳妇儿终于学会煮饭和番茄炒蛋一样，会感到由衷地欣慰与高兴。人都会就着自己优秀的一面发展。如同师爷高、县长硬一样，但小囧现在好比黄老爷，正在又高又硬地前进着。

这本书里，我喜欢《我如何学会停止恐惧并爱上糖果》，我喜欢《酒》，我还喜欢《预言家》，其实我喜欢这本书里的大多数故事，因为我喜欢他所理解的生活和他所解读的爱情，如同偷窥一个人真实本我的隐私一样。就如书名《我们为何欢庆失眠》，那是与我和小囧一样，拥有同样一种生活状态的某一批人，对自身生活的自嘲与无奈。我感动的是，小囧把它化成了一种柔软在讲述。

其实最开始我是想从小说的架构与讲故事的方法上来分析一下小囧的文字能量，但动笔前的刹那觉得那太傻逼了，他的文字有足够的画面感，及故事背后的故事，一本书有一个故事让你有共鸣、沉思、感悟就足够了，如同一部电影只有三分钟让你赞叹、大笑或流泪。当然我必须说这不是小囧最好的文字，他本可以写得更好，也一定会有更好的，这不是营销或者吹捧，是基于我对他一直以来所努力的肯定，和身为朋友对他的期许。

最后，接到小囧的邀请让我给他的新书作序，其实十分纠结，有一个问题开始百思不得其解地困扰我，也就是在这样的困扰中开始写这篇序，如你们所见，完全是想到哪儿写到哪儿，全无顺序逻辑可言，哪怕写到此处，那个问题依然在让我纠结——他找我写序？那，那那那我要多少钱合适啊……

他说不给钱。

赖宝

自序

2012 年的很多时间，我曾长久地陷入无聊。每天晚上一过 12 点，我就骑着一辆低端红色公赛车去长安街上刷街。王府井往返八角游乐园，往返 35 公里。

入夏时有那么几周，几乎每晚我都会在翠微大厦门口的公交车站看到同一个打电话的女孩，穿着白色的连衣裙，靠在站牌上，她有时哭，有时笑，但哭的次数总是多的。我猜她或是迎面遭遇了失恋，也几度想停下来告诉她在这里哭并不安全，但我始终没有停车，或许是因为她长得确实不怎么好看。后来，她当真再也没有出现过，我乐观地猜想她或是迎面遭遇了新恋情，从此有人来陪她度过漫漫长夜。

新人旧人，更迭变换。这座城市的爱情故事和它本身一样，快到让人觉得恐惧。当我在那个躁动的夏天里，迎面遭遇我的姑娘之后，我开始试着想让这份感情慢下来。

于是，在她的倡议下，我们玩了一个游戏。

她每周命题予我一个浪漫的词汇，我将它讲成一个令人感觉不那么舒适的故事，于是有了烟花、香水、电话亭、时光机这样的短故事。但我很快发现女人远没想象中那么浪漫，当她习惯了每周听一个故事后，她会要求每天听一个故事；当你每天讲一个故事后，她会要求你的故事讲得更长。当你写得过于详细，她会问你这个故事是否来自上一个姑娘；当你写得模糊起来，她又会问你是否因为心虚而语焉不详。就像男人总挑自己相信的相信，女人也总挑自己怀疑的怀疑。

有一段时期，我们因为莫名其妙的理由终日争吵，我开始拒绝写这些幼稚的命题作文，彼时已经和出版社签了合约，那些还没有写完的故事开始成为我沉重的负担。我急于将它们完成，又不愿意将它们完成得太过简陋。爱情里最浪漫的部分从来都带着最暴力的成分，我开始将故事讲得越发狰狞、变态、诡异，一度发展到每篇都要用生硬的死亡来让人觉得不适。

我或许是想证明点儿什么。我重新陷入无聊。

停笔很久后，忽然开始想写这样一个人物，他陷入巨大的虚空，然后通过对抗全世界的方式来证明自己的存在。这些故事被浸泡在灰色的氛围之中，完全脱胎于那段时期我对自己的错误认知。曾经长安街骑行的时间段，被我用来写下它们。有点儿以毒攻毒，又有点儿宣泄的意味，那种感觉常常让我觉得自己陷入了一种浅度睡眠。就这样陆陆续续写了七八万字，这种情绪被彻底地宣泄干净。

我意识到，这个主题的故事是时候结束了，对我而言，算是一种解脱。

书里每一篇故事的主人公都叫陆瑟和林嘉，最初只是懒得起名，后来被朋友问到是否谐音 Loser 和 Ninja 的时候，我觉得豁然开朗。男人与女人，暴力与浪漫，失败者与隐忍者，我这个年纪所能领悟到的爱情的本来面貌就该如此。

作为一名整理强迫症患者，我人为地将 13 个故事分成了长标题和短标题两类。短标题的故事容量也小，节奏快，情节也不复杂；长标题的故事则相对篇幅略长，节奏缓慢，也更加私人化，还偷偷夹杂了很多我一直想写的私"货"进去。

最后，感谢每一个出现在我身边的朋友，前世的五百次回眸换来今世的一次擦肩，我们此生既然已是朋友，想想前世我们得对视多久。

无论如何，这是我的第一本书，我爱她。

希望你们也是。

乔小囧

2013.07.30，什刹海

1   没人跟他跳舞的作家

"Free-lancer"，陆瑟喜欢这样介绍自己，舌尖向上，分三步，从上颚往下轻轻落在牙齿间，"对，我是一名自由作家。"

"很赞的职业。我叫谭延，很高兴认识你。还有别的事吗？"显然面前的女孩对他蹩脚的英式发音丝毫无感。她挤出了一个敷衍的笑容，露出 8 颗牙齿，而她的左手循着笑容的节奏，正打算把门掩上。

陆瑟瞥到她小臂上有一枚漂亮的文身，是一排反转的字母，好像是梵文。

"我可以请你看电影吗？新买的投影，我下载了 1962 年最经典的那一版《洛丽塔》……"陆瑟认为这样的邀约既显示了自己的好客，又散发着一股知识分子独具的浓郁的高格调审美。如果换作自己是面前的这个女孩，一定早就怦然心动不能自已了，陆瑟这样想道。

"很赞的电影。今天有点儿累，下次吧。"女孩用"砰"的关门声代替了怦然心动。

陆瑟站在门外，保持着热情的笑脸，像一根移动晾衣架。

这个院子的确需要新的晾衣架了。

加上新搬来的谭延，院子里的住家增加到了 5 户。住过大杂院的人都知道，一个拥挤的大杂院的夏天，将会是多么难熬。

　　陆瑟喜欢称这个院子为四合院，就像他喜欢称呼自己为作家一样。严格意义上这里只能算一个翻建的、微缩的，又恰好长得像四合院的小杂院，而这一格局也在院子里加盖了第五间房子之后变得名不副实，就像"自由作家"陆瑟其实已经整整 3 个月没有稿约了。

　　在陆瑟的脑海里这个时间要显得更长。

　　他和林嘉分手之后整个工作状态就变得一团糟。他拖起稿来让编辑根本无法交差，当稿约越来越少的时候又一边喝着大酒一边对圈里的朋友抱怨那些编辑实在是不识货。陆瑟的编辑朋友们最终变成一个个"林嘉"，离他而去，再也没和他说过一句话。

　　"无所谓，我不需要约稿，我正在写一个马尔克斯错失的伟大小说题材。"朋友的耳朵里都磨出了茧子，但总比那句"林嘉离开我是她一生最大的损失"要顺耳得多。

　　"嘿，小陆，你吓死我了！"一声尖嗓把陆瑟吓了一跳。

　　陆瑟回过头，看到房东刘奶奶站在自家门下，纱布门帘披在她的双肩，房间里的日光灯在她头顶盘成一束光圈，活像复活的耶稣。可耶稣是不会终日抱着一只大花猫的，而且《圣经》里什么动物都有却根本就没有出现过猫。

"是说院子里杵着一个人影儿，我还以为是小偷呢，干吗呢？"刘奶奶每一句话都有一个高音，生生把这句话变成了一句质问。

"哦，没事，溜达。"

陆瑟往自己的房间走去。赵师傅的窗帘拉得严严实实，王姐的房门却敞开着，不过关着灯，黑洞洞的。陆瑟想起了一句成语"大千世界，无奇不有"，又觉得这个院子就像一个世界，充满了千奇百怪的人物。赵师傅今年 42 岁，离异，在一家洗浴中心做保安，生平最爱两件事：一是斗地主，胡同里的闲散人员几乎全都在他这儿输过钱；二是随时随地称自己为年轻人，他的金句为"我们年轻一代就应该敢于叫地主"。王姐是一个单亲妈妈，永远穿着黑丝袜、肉丝袜、灰丝袜、蓝丝袜、绿丝袜、红丝袜，无论刮风打雷、冰雹下雨。每当送完孩子上学，她就开始在院子里走来走去，疯狂地打电话。不知道电话的另一端是谁，但电话的这一端永远是一个被丝袜裹紧了的、唾沫横飞的、会移动的萝卜。这一度让陆瑟产生幻觉，丝袜与增强手机信号间或许有着某种神秘的联系。

陆瑟躺在床上，望着天花板，开始了对一天的反思。这是他从朋友那里学到的，一篇名为《比尔·盖茨留给世界的 50 句成功秘诀》

的美文，第一条就是"每天给自己留下总结思考的时间"。

下午 5 点醒来。在床上玩 Temple Run 到 6 点。起床后打开电脑一边构思小说一边刷微博到 8 点。出门去沙县小吃点了一份老鸭汤套餐、一份蒸饺，回到院子里是 8 点 40 分。看到新搬来的邻居亮着灯去搭讪被拒绝，此时 8 点 45 分。现在是北京时间 9 点。

这太不像一个作家的状态了，陆瑟反思道。陆瑟心中的作家状态应该是像卡波特那样——既写得出不俗的小说，又同时在上流社会游刃有余、夜夜笙歌。这个模式唯一不易操作的地方在于卡波特是一个 Gay。Gay 天生会好混一些，这谁都知道，可陆瑟是个"直男"。

反思来反思去，陆瑟觉得自己最大的问题是在社交上的短板，自己不懂得如何和异性交往，要不然为什么会和林嘉分手，而谭延拒绝自己也只用了 5 分钟。只要提高自己的社交能力，就可以成为一名出色的作家，说不定还会拥有一个稳定的长期的深爱自己的女朋友。

自己为什么第一面就邀请谭延看一部乱伦片？仅仅因为库布里克是自己最爱的导演？可是这根本就是一个错误的方向嘛！

陆瑟从床上跳了下来，打开百度，在搜索框里输入"第一次约会女生看什么电影合适"，最佳答案是：好莱坞大片、国产恐怖片，或者迪士尼的动画片，还给出了一些范例。陆瑟从桌子上拿起一张出租车发票，在背面记下了这些推荐的影片。

陆瑟觉得自己开始离真理越来越近了。

回到床上，陆瑟重新望着大花板，隐约觉得谭延长得有点儿像林嘉，却也说不出哪里像。陆瑟这样想，假如自己和谭延好上了，岂不是对林嘉的以德报怨，陆瑟觉得自己简直是个圣人。

房顶上忽然哗啦响了起来，吓得陆瑟一颤。陆瑟皱着眉头，知道是过猫了。胡同里总是有着无数的流浪猫，它们每晚四处流窜，最喜欢在你快要睡着的时候故意来给你捣乱。刘奶奶家的大花猫大大增加了房顶过猫的频率，虽然它已经被阉了，可还是每天坐在窗台上搔首弄姿，喵喵叫着"招蜂引蝶"。

陆瑟拿起鸡毛掸子，光着膀子走进院子，赶一赶流浪猫，打算睡一个好觉。

陆瑟果然睡了个好觉，醒来的时候已经是第二天的下午4点。陆瑟对自己动辄睡十几个小时的能力颇为惊奇，一直以来，他都以为睡一个对钟是孕妇的特权。或许是因为自己在孕育一本伟大的小说吧，陆瑟一边这样为自己开脱，一边把一个烧烤架子往院子里搬去。

烤肉架是他搬来胡同的时候买的。烧烤、啤酒、小说、诗歌，自己一个人就文艺复兴了，然而事实上他一次也没搬出来用过。文艺复兴重要器材的处女秀，竟然是为了泡妞，文学何时已沦落到这步田地。

这便是今天陆瑟的社交 A 计划——流动的盛宴。

所谓民以食为天，先和大家一起吃一顿趣味横生的 BBQ，喝着啤酒，聊着人生，high 起来的时候自己兴许还可以念几首诗。然后等结束的时候再邀请已经半醉的谭延一起去看最近火热的《致我们终将逝去的青春》，她一定不会拒绝。在电影院里，等到赵又廷暴着青筋大喊"可是我不愿意"的时候——陆瑟昨晚已经提前看了好几遍枪版，确定这个点是表白的最好时机——温柔地牵起谭延的手，淡淡地问一句"你愿意和我在一起吗"，接下来要做的事不过是水到渠成地在回家路上借口买烟时去 7-11 买一盒安全套。

支好架子，陆瑟像哆啦 A 梦一样又从房间里变出烧烤网、烧烤叉、固体酒精和一袋炭，还有一盆削好的羊肉片。

陆瑟就一个人在那忙活着，像极了一个真正的文学大师一样孤独和专注。等到把木炭烧好，又将羊肉铺好在烤肉架上，刷上香油，发出"刺啦啦"的烧烤声。此刻，天色也已经暗了下来。这恰是陆瑟追求的状态，烧烤最重要的佐餐伴侣就是夜色，其次才是啤酒，最后才轮得到美人。

陆瑟回到房间，抱出 5 瓶冰镇的燕京啤酒，放在烧烤架边，翻了一下肉片，深深地舒了一口气。万事俱备，只欠她。

赵师傅的窗户被窗帘紧紧挡住，门也关得死死的，只有门缝里传出"咚嚓咚嚓"的音乐声。陆瑟的敲门声意料之中地被音响声完全盖住了，赵师傅是凤凰传奇的死忠，用赵师傅的话说，"我们年轻一代就应该享受音乐"。

上帝是公平的，为你关闭一扇门，就会为你打开一扇窗，王姐家的塑钢大门同样紧锁着，倒是窗户大开着。陆瑟站在门口，把头伸了进去，就像蹲在王姐的胯下抬头仰视黑丝袜一样，黑洞洞的一片。陆瑟小声地叫着王姐的名字，无人应答。陆瑟想她或许又四处游走着打电话去了。

此刻的陆瑟站在谭延的门口，万分兴奋又有点儿紧张，赵师傅不在，王姐不在，或许接下来会成为一个双人 BBQ 也不无可能。陆瑟敲了敲门，又清了一下嗓子，为接下来的对话铆足了劲儿。

"谁啊？"屋子里传来悠长的应答。

"我。"当被屋子里的人问到谁啊的时候，中国人最喜欢的应答方式就是"我"。你别管我是谁，我就是我。

"谁啊？"显然房间里的人对这一声应答并不满意，追问了一句。

"我，陆瑟，出来一起吃烧烤啊。"

"改天吧，我胃疼。"

然后是死一样的寂静。陆瑟再一次成为一根伫立在院子里的晾衣架，他甚至觉得如果没人来打破宁静，自己就会像被卷入旋涡一样被拖进最黑暗的深渊。所幸院门打开了，房东刘奶奶从外面急匆匆地走了进来。

"你看到大花了吗，今天早上就不见了？"

"刘奶奶，一起吃烤串吗？"

"吃什么吃！大花都不见了还吃烤串？我饭都不想吃了！"刘奶奶瞥了一眼陆瑟和烧烤架，气势汹汹地冲进了房间，那态度好像是陆瑟把自己的猫给弄丢了一样。一分钟后，她举着一个手电筒，一边喊着"大花、大花"，一边走出了院子。

现在的人类太可怕了，纷纷都被宠物绑架了，陆瑟想到，猫这么聪明的动物怎么可能丢，只需要在窗台上放一碗猫粮，第二天就自己跑回来了。猫更像是男人，夜不归宿纯粹就是为了偷腥，偷完腥依然惦记着家里。在这点上，女人差多了，她们很少暴露她们在偷腥，一旦告诉你的时候，就意味着她再也不会回家了。林嘉当时就是这么做的。

烤肉在架上散发出煳味，似乎在说"你再不管我，我可就自焚了"。烤肉这种东西，最擅长毁灭，给你美味，也要给你高致癌率。陆瑟跑回到烤肉架边，肉片们整整一面都炭化成了黑黢黢的样子。陆瑟不开心地将还没有撒盐和辣椒面儿的失败肉片倒进碟子里，端回屋子。再一次走出房间的他用牙齿打开一瓶啤酒，将带着白沫的啤酒倒进了热炭之上，"刺啦啦"，火就那样火了，喷起无数的白灰，像一座精致的人工火山。而大多数还没有来得及上架的肉片就那样被遗弃在了烤架的旁边。

这注定是一个失眠的夜晚。陆瑟坐在地毯上一个人喝着闷酒，没有夜色，没有美人，只有烤肉。那烤肉根本毫无味道，甚至还带着一点儿酸味，陆瑟一边嚼着一边想为什么自己会被整个院子拒绝。这真的可以算作陆瑟的人生第三大未解之谜了，第一大谜题是林嘉为什么离开自己，第二大谜题是自己当时为什么允许林嘉离开自己。

"哗啦啦"，屋顶又开始过猫了。这只猫在房顶上来来回回地走动，以一种折磨人的方式。

　　陆瑟干下第 6 瓶啤酒，放下烤肉，揩了一下嘴巴，走出门去。他从院子里搬来梯子，靠在围墙上，悄悄地往房顶爬去。果然，有一大团猫在房顶上蹲踞着，些许月光映在猫背上，看不清楚花色。或许是刘奶奶的那只，陆瑟猜道。还没等陆瑟靠近，这只猫就警觉地往房顶另一侧跑去，最终停在赵师傅的房顶上，回过头侧着脑袋望着陆瑟。

　　这近乎挑衅了。于是陆瑟猫着腰往赵师傅的房顶挺进，那只猫却一动不动，坐在赵师傅的房顶上摇起了尾巴。在陆瑟离猫还有一只手臂的距离时，那只猫再一次地站了起来，弓了弓背，辗转到了谭延的房顶，坐下，继续看着他。陆瑟有点儿生气，把短袖撸到肩膀上，心中暗暗发誓今天一定要抓到它。然而在他弓下腰来的一瞬间，却意外地发现了赵师傅的天窗。

　　透过那扇并不干净的玻璃，陆瑟看到了赵师傅。赵师傅和平时都不一样，他戴着眼罩，嘴巴里塞着一枚红色的口塞，而双手双足则被黑色的、肉色的、红色的丝袜绑在床头上，他就那样赤条条地平躺在那里，震颤着自己松弛的肌肉。与赵师傅相比，叉开了腿坐在他身上的王姐此刻更是和往常不同，她披头散发，紧闭双眼，仰着脸蹙着眉咬紧着嘴唇，乳罩垂挂在腰间，或许还恰如其分地盖住了剖腹产留下的伤疤和妊娠纹。不过此刻的王姐也绝不会记得自己这些瑕疵，她正全心全意地进行着一场"马术比赛",恰巧驰过一段坑洼的丘陵地带。而身下那匹年轻一代的马儿,也正同样享受着蒙眼奔驰的乐趣。

赵师傅忽然挣开了手上的那条丝袜绳索,呼地坐了起来,紧紧抱着王姐,用粗糙的脸颊拼命地摩擦王姐的乳房,胳膊上的肌肉紧成一团,似乎要把王姐举起来。二人纠结地缠在了一起,直到慢慢停了下来,定在那里,就像芭蕾舞天鹅湖里经典的定格画面。

陆瑟揉了揉眼睛,见过神来。那只猫看陆瑟半天没有过来的意图,站起身来,像一位骄傲的绅士,慢悠悠地朝远处走去,走进一束光里,露出了纯黑的皮毛。显然,它并非刘奶奶的猫。然而这是谁的猫对陆瑟而言,已经毫无意义,陆瑟只是直直地盯着那束光的起源地——谭延房顶那扇朝向西南方的天窗。

陆瑟一点点地靠近那扇天窗,这一次和刚才完全不同。刚才是意外撞到的画面,而这一次则是带着纯粹目的,一趟刺激的窥探。

谭延没有让他失望,谭延在跳着真正纯粹的芭蕾。

纯粹到只穿着一双芭蕾舞鞋,除此之外浑身上下没有再着一丝一缕,谭延就这样在房间中央踮着脚尖转着圈圈。

谭延的身材真的很好,精致的乳房随着圆圈在空中画着波浪线,而细滑的小腹,修长的小腿将这条波浪线一直延伸到地面。当她稳稳地跳动起来时，又像一条跃出水面的海豚。这只迷人的海豚从地面上跃起，跳进陆瑟的眼睛里，朝着他的心脏深处游去。陆瑟明白了，原来美食、电影、音乐、文学都是错误的，舞蹈才是全世界最迷人、最高效、最无法逾越的社交方式。这种方式有别于你在 face-book 上鼓起勇气点下的一个赞，有别于你转发并评论了他的微博，有别于一切表面的社交，这是一种动脉注射的方式，一瞬间抵达内心的最深处，甚至引发了某种程度的心律不齐。

陆瑟的脸几乎要贴到玻璃上了，此刻他是谭延最忠实的粉丝，脑残粉。

陆瑟未曾想到一段舞蹈结束之后谭延会有一个仰起脸来向观众致谢的动作，而谭延也不会想到当她仰起脸来的时候真的会看到观众。四目相对的一瞬间，一声凄厉的尖叫声从天窗内传了出来。

陆瑟飞速地逃开了那扇玻璃，几步就回到了梯子边，踉跄着爬下梯子，逃回了自己的房间。他不确定谭延是否看到了他的脸，却忽然想起那架梯子还架在离自己最近的墙边。他把耳朵贴在门上，听着院子里的动静。开门声、争吵声，甚至还有沸沸扬扬的打闹声，他甚至听到了自己的声音。他觉得自己一定是醉了，或许刚才在房顶上看到的画面也都是自己酒后的幻想，他一点点地滑了下去，耳边的声音越来越轻。

　　第二天清晨，陆瑟醒了过来，果然还靠在门上，浑身乏力得厉害。昨晚上的事情他只记得自己吃了烤肉，喝了闷酒。从房顶逃走的画面就那样半真半假地存在自己的脑子里，有点儿像梦境，又有点儿像喝酒之后的断片儿。

　　他走进湿漉漉的卫生间，地上全是水迹，他洗了把脸，看了一眼镜中的自己，一副硕大的黑眼圈。他把门一点点打开，透过门缝看进院子里，除了几个花盆歪倒，和昨晚并没什么变化。只是梯子和烧烤架都还在院子里摆着，像一场仍未结束的筵席。他洗了个澡，决定去超市买点儿零食和日用品。男人总是在酒后变得意外勤奋，来抵抗宿醉带给自己的坏心情。

　　从超市回来，另外四家依然像什么事也没发生一样，关紧门窗，不声不响。陆瑟的心情好了许多，或许谭延根本就没认出自己。陆瑟打开一罐牛奶，一饮而尽，然后便倒在沙发上睡了起来。

　　陆瑟的生物钟完全被自己搞乱了，再一次醒来竟是凌晨4点。

　　深夜，陆瑟的大脑分外清晰。他打开电脑，写起了小说。陆瑟抽着烟，任由小说里的人物沿着自己的想法飞驰着。按这个速度，这部小说应该在年末的时候就可以写完，想到这里，陆瑟的心又飞了起来——自己和马尔克斯写小说最大的不同在于，自己拉着窗帘点着台灯在黑暗里一样下笔如飞，而老马写作则必须要坐在巨大的落地玻璃窗前才行。看来必须得足够矫情才配得上大师的称号，陆瑟想到这里，便保存了一下文档，走到窗前把窗帘拉开，窗外一片黑暗。

他就那样抽着烟，想着，写着，终于等到清晨的阳光照进来，略微有些刺眼。他沐浴在阳光里，更加兴奋起来，马不停蹄地敲击着键盘，从清晨写到了又一个深夜。按这个速度，夏天没结束，应该就能完工了吧。

陆瑟从椅子上站了起来，伸了一个懒腰，从桌子的另一侧给自己倒了一杯庆功酒。陆瑟忘记了自己对洋酒完全没有酒量，一杯伏特加喝完，竟然就已经开始看东西都重影了。看着镜子里的两个陆瑟，他想起来前天失败的社交 A 计划，又朦朦胧胧想起了跳芭蕾的赵师傅、王姐和谭延。

陆瑟脑子里突然闪现出了新的社交 B 计划，那就是跳舞交友，邀请谭延跳一支儒雅的交谊舞。大学时陆瑟实打实地学过交谊舞，而林嘉也是自己在学院的交谊舞会上追来的，用最俗套的求爱方式，嘴里叼着玫瑰花，单膝下跪，求一支舞。当林嘉接过玫瑰花，并把手放进陆瑟手心的时候，全场的掌声高调地宣布着他们已经在一起了。最为离奇的地方是，他们的分手竟然也和跳舞有关，不过是陆瑟出差回来推开门，林嘉正赤身裸体和一个陌生男人在客厅跳舞。然后……

就没有然后了。

陆瑟打开 CD，给自己放了一首轻柔的音乐。然后伴着音乐走出房间，脚步竟开始有些不稳。

谭延的房门紧闭，屋里灭着灯。

刘奶奶的房门紧闭，屋里灭着灯。

赵师傅的房门紧闭，屋里灭着灯。

王姐的房门紧闭，屋里灭着灯。

这一次上帝关了四扇门，却连一扇窗都没舍得留。王姐那扇常打开的窗户也一样紧闭着。

大家似乎都不在家，陆瑟觉得自己又一次被整个院子抛弃了。这世界对自己太不厚道。

他东倒西歪地回到房间，又给自己倒了一杯伏特加。

他拧大了音乐，走到房间的中央。

　　"没关系,我自己和自己跳。来,陆瑟,我请你跳一支华尔兹……"
他就那样晕头八脑地向空气伸出了邀请的手臂。

　　陆瑟给洗衣机插上了电,洗衣机开始扑通扑通地转了起来。这
不是一台好的洗衣机,它甩干时常常会从墙边跑出去好远。而此时,
它的这一特点反而让它像极了一个翩翩起舞的伴侣,只是身材欠佳。
陆瑟抱着敞开面板的洗衣机,晃动着因酒醉而显得笨拙的身体。

　　只有一个舞伴,那简直太糟糕了。陆瑟放开洗衣机,朝着冰箱
蹒跚走去,他打开冰箱门,一股冷气扑面而来。陆瑟需要一个冰清
玉洁的舞伴,于是他便把手伸进了冰箱里,触摸着许久没有清理的
冰霜,仿佛滑过一位穿着丝绸晚礼服的舞伴的腰间。最后,陆瑟抱
紧了那盏落地灯,这应该是客厅里身材最棒的舞伴了。它可以配合
自己做任何舞姿,陆瑟甚至可以轻易把它举起来。

　　这场舞会此刻显得浪漫而温馨极了,不同的舞伴,却是同样
的热情。

　　洗衣机的声响越来越大,仿佛在说着什么。陆瑟勉强睁开眯缝
着的眼睛,看到洗衣机向他伸来邀约的手,那只手十分纤细,就像
当年他曾长久紧握的林嘉的手。陆瑟向林嘉伸出的手走去,然而男

人终究是败在酒上的，两杯伏特加让他举步维艰，区区两步距离，此刻却像隔着十万八千里。

着急向林嘉拥去的陆瑟脚下打了个趔趄，在他摔倒之前他牵到了林嘉的手，只是那只手生生被他扯断开来，血淋淋地掉在了他的怀里，这不是林嘉的手臂，林嘉的手臂上从来没有这样的文身。

这是谭延的手臂！

陆瑟下意识地把头抬起45度，模糊的视线里，那打开门的冰箱里整齐地放着8颗头颅，确切地说，如果不算重影效果的话，是4颗。上层两颗，下层两颗。

两杯伏特加帮陆瑟补齐了那一晚的断片儿。邻居们一部分在冰箱里，一部分在洗衣机里，还有一部分被锁在各自的家中。

至于刘奶奶丢失的那只小猫，一部分在陆瑟的身体里，而它的绝大部分，应该还在院子里烤肉架的下面。

陆瑟一点点陷入了浅度睡眠，半梦半醒之间，他想：如果夏天结束时一切还没被发现，他一定可以把那部和马尔克斯媲美的小说写完。

2   无脚鸟

"他真是越来越嚣张了。"

林嘉一边应付卡纸的打印机，一边喃喃自语道。

也难怪她这么火大，自从上次吵完架，她已经整整三天没有见过丈夫陆瑟了。三天其实根本不算一个很长的时间，她曾有过一个唱歌很难听的朋克男友，每次他一开嗓，林嘉就觉得仿佛度过了三个世纪那么长，然而就是这个早就被她抛到记忆荒野之外的男友，也常常成为陆瑟大吼大叫的导火索。

林嘉把卡得皱巴巴的纸攥成一团，丢进纸篓里，她按下打印键，打印机像扇耳光一样刷刷地响着。每响一下，林嘉就嘟囔一句："陆瑟你个王八蛋。"

从复印室回到工位的时候，林嘉看到骚女人正在一件件往购物车里添商品。骚女人的购物车每周都有人负责清空，那些货品变成包裹，实打实地寄到了公司来，一个包裹接着一个包裹，就像前线传来的捷报。当然，陆瑟偶尔也会帮林嘉清空购物车，在追完最新一集《识骨寻踪》之后悄悄地点进林嘉的淘宝账号，然后若无其事地点击清空按钮，就像法医清理尸体一样打扫得一干二净。

三天前吵架的原因，林嘉甚至都记不太清楚了——她想要个孩子，他想换台车，房贷还没有还完，他妈妈下个月要来北京，她大姨妈来了不能做爱。反正陆瑟穿上衣服就摔门而去了。他们隔三岔五就会吵架，有时候惹到多事儿的左邻右舍还会喊来楼下的保安，好像这里将要发生一场一触即发的世界大战。

对了，摔门前，陆瑟还像个文艺青年一样絮絮叨叨地说什么这样的婚姻就像没有脚的鸟，只能飞不能停，停下来的时候就是死掉的时候。那时候林嘉满脑子都是气劲儿，怒吼陆瑟的不成熟，林嘉骂起人一点儿都不像南方姑娘，她让陆瑟飞得越远越好，飞到死也别回来。

可这才飞走三天，林嘉就开始想他了。

陆瑟一直都是文艺青年。上大学那会儿，在美国中部的一所大学城里，陆瑟也用过这个比喻句。他当着吉他社的全部社员，弹着动人的和弦，说他对林嘉的爱就像一种神话里才有的无脚鸟，一直飞翔，永不着陆，除了死亡什么也无法让它停止飞翔。

那时候，林嘉的脸涨得像一个气球，那些暗恋陆瑟的学妹们忌妒的目光一扎来，她的快感就撒了欢地满屋子飞。当晚她和陆瑟第一次做爱，也是这种感觉。可是现在，这个比喻句还是一样有威力，扎得她生生地肉疼。

"无脚鸟，无脚鸟，等你回来了我非要把你的脚给剁掉。看你还跑不跑。"林嘉又拨了一次丈夫的电话，还是关机，干脆对着iPhone 发脾气。

"嘉嘉姐，你的快递，来前台签一下吧。"

声音再甜美，还不就是个前台，上次被喝醉了的老板拖进高管会议室的事儿全公司都知道。

哈哈，这其实也没什么好笑的。可她被睡了竟然还是个前台，哈哈哈，这似乎才是全公司背地里谈笑的焦点。当然这些闲言碎语可不能让行政处的 Isabella 听到，人家可是早已经从前台"睡"成正果，工位搬进了总裁办公室。

远远的，就看到送快递的小伙子，戴着一副大墨镜，手伸得老长，拿着一根圆珠笔，虔诚地等着你来签收，仿佛那是一张付给他的高额支票。林嘉觉得他有些眼熟，可怎么也想不起来了。看着小伙子的头发像倒了一斤发胶一般顽强地立着，林嘉觉得好笑。

她忽然想起小区里每次赶来劝架的保安，也是一个喜欢如此打扮发型的少年。这些城乡结合部的美少年总是喜欢把头发打造得顶天立地，仿佛靠着涂满发胶的脑袋就可以进入皇家马德里取代 C 罗，或是融入这座城市。昨天晚上吵架，那个小保安还来劝架呢，只是根本没有插嘴的机会，当陆瑟摔门而出，林嘉骂出"你去死吧"的时候，那个小保安就站在门缝外面，像极了一个局外人。

他们本来就是局外人。他们看不懂这个城市的生存规律，而他们自己的生存哲学又早已被城市所耻笑。他们拼命冲这个城市微笑，但城市却从不认为他们是自己的一部分。就像每天停车的时候，这名小保安都会 360 度注视着林嘉的车，而到现在，林嘉也记不清他的样子。昨天晚上当这个小保安微笑着问林嘉"你没事儿吧"的时候，林嘉也是"砰"的一声将门关上。她每个月交那么多物业费，绝对不是用来听一个局外人的安抚的，更何况，他们又能说出什么道理呢。

这个城市里有将近 4 万个小区，大大小小，高楼林立。这些小区里每晚都在发生着争吵，理由各不相同，但又基本相似，都是千奇百怪中的鸡毛蒜皮，无病呻吟里的一针见血。假如将城市比作一台巨型电脑，林嘉、陆瑟以及所有的居住者，更像是永无休止、不停计算的电子元件。他们的梦想早早被遗忘在一条巨大的光纤中，他们不停地产生着冗余信息，在碎片化的生活里苟延残喘，疲于奔命，鲜有微笑。

和永远苦着脸的城里人相比，这些局外人总有着最真实的笑容。比如面前的这名快递少年，此刻正咧着大嘴冲林嘉大笑，笑得林嘉有些发毛。

　　林嘉看到快递的时候顿时知道了他为什么如此毕恭毕敬，你要知道那个包裹有多脏你会给他耳光的。包裹单上沾满了油渍，是那种杀鸡宰鱼才会有的油污，你甚至会觉得里面塞满了厨房垃圾。

　　"快递交过来的时候就是这样的嘛！"小伙子满脸堆笑地推脱道，一脸的若无其事。现在的快递公司就是这样不讲道理，就像C罗假摔一样嚣张。林嘉嫌弃地看了看快递单，发件人一栏空着。待会儿拆开了快递，知道是哪个朋友寄来的一定第一时间打过去电话骂他，当然如果是陆瑟寄来的就没有办法第一时间打过去了，因为他还关着机。

　　"那等他回来也饶不了他。"林嘉兀自琢磨着。

　　林嘉用食指和拇指夹起圆珠笔，像画符一样签上名字，签完发现潦草得连自己都不认识那是自己的名字。她让前台从抽屉里翻出一张过期的报纸，小心翼翼地包起包裹，还挺重的。她扭头还想抱怨两句，可快递员不知道什么时候已经不见了。她抱着这个脏包裹回工位的时候看到骚女人还在努力地往购物车里添东西，脑子里竟然不自觉地浮现出一个年龄五十多岁的老头儿攥着骚女人的脚踝在办公桌上和她做爱的样子。真不知那些老头儿怎么想的，骚女人的下面一定松得能塞得下整个购物车了。

　　林嘉一层层地拆开油腻腻的包装，其间想到了在网上看到的新闻，男朋友将自己藏在包裹里快递给女朋友制造惊喜结果在里面缺氧晕掉了。可是这个包裹太小了，陆瑟是完全不可能藏在里面的，不过林嘉又想起当年陆瑟弹着吉他说自己是他的无脚鸟的样子，浪漫度上可甩了现在这些90后几百条街呢。

　　林嘉嘴角上都挂满了幸福的笑容，算了，等陆瑟回来就不找他麻烦了，还是给他一个拥抱好了。

　　最好再提前换一套情趣内衣，他打开家门的时候，我点好了烛光，他向我走来……

　　啊……啊……啊……

　　林嘉尖叫起来，像和陆瑟第一次一同坐过山车时发出的尖叫，不，比那还要响一百倍。

　　包裹里安安静静地放着陆瑟的左脚，脚腕上的痣就好像浮在血浆上一样。

3   时光机

陆瑟的左手在林嘉的乳头上画圈，伸出床外的右手夹着一根快要燃尽的中南海点八，显然他正心不在焉，烟灰全都撒在了烟灰缸的外面。他把烟噙在嘴上，从枕头下捉起遥控器，漫无目的地翻看着电视频道。

"这个点儿竟然还放动画片，真为这些电视人的智商捉急。"他鄙视地摇摇头，是啊，午夜两点一刻。

"右边也要揉揉。"林嘉噘着嘴巴撒娇道。

林嘉一直对自己的罩杯不满意，每一次陆瑟抽事后烟的时候都要例行帮她揉搓乳房。陆瑟怀疑，乳房按摩在她的塑身理论里是不是已经和瑜伽一样重要了。陆瑟是支持妻子去学瑜伽的，他以为瑜伽意味着以后会带来更多新鲜的体位，最起码瑜伽球也不失为一个好道具。

在他们刚恋爱的时候，就这样按摩着按摩着，陆瑟的手指就会像一颗偏离轨道的卫星一样，慢慢地往其他的位置游移过去，然后变成第二场性爱。可现在，他的手就和他的下面一样懒惰，悄悄地就软了下去，然后就像一个午后吃饱了饭的小猫一样打起了盹儿。如果不是动画片的声音吵着，陆瑟或许已经睡着了吧。

"我觉得静子一定也是喜欢大雄的，这一定是她心里的一个秘密，你看她和大雄一起做作业的样子，你看嘛看嘛看嘛……"

林嘉揪扭着陆瑟的耳垂。

"谁心里没个秘密的事儿呢。"

陆瑟翻了个身，于半睡半醒间搪塞道。

这无疑是一个错误的回答。

林嘉坐了起来，一对 B+ 的乳房显得单薄而凄凉。

"什么秘密。说，你有什么秘密。"

"我开玩笑呢。"

"少来。你今天必须说。"

"我爱你啊。"

"少来。我不爱你。说。"

"我爱你啊。"

"少来。说，你有什么秘密。你是不是还喜欢你的 EX？"

"哦，天哪！咱俩已经是有结婚证的人了。"

尽管还没有办酒席，但陆瑟觉得这个质疑简直是对自己最大的侮辱。他坐了起来，面色阴沉。科学研究表明，女性能将秘密保持 47 个小时，而在女性的逼问下，男性的秘密只能保持 4—7 小时。

陆瑟觉得男人此刻简直变成了无法容忍的弱者。陆瑟把手指向电视机里正在翻肚子上口袋的哆啦 A 梦，大声吼道："操！我的秘密就是，我他妈的有一台时光机行吗？"

林嘉沉默了很久，啜泣道："如果你真有时光机，我恨不得立刻回到三年前，那时候你可从不会对我大吼大叫。"

陆瑟顿时觉得伤感起来。三年前的情人节他一脸胡楂 COS 成《玩具总动员》里的牛仔胡迪，出现在机场单膝下跪接留学回国的林嘉，接机的女孩儿们发出阵阵忌妒的欢呼，只有机场的保安冲上来盘问他腰间别着的那把手枪到底是玩具还是别有企图，最后的结果是按照违禁物品给扣下了，但陆瑟依然获得了林嘉公主的吻。

"如果能回到三年前，我宁肯和张川在一起。"

林嘉的叫嚷声打断了陆瑟的回忆，陆瑟刚刚涌起的自责瞬间被另一种情绪所攻陷。他想，那时候林嘉也不会有这么多的无理取闹吧。

张川是林嘉的初恋，在陆瑟追她的漫长过程里，这个人名常常被她拿来当作刺刀，当年陆瑟可被捅得够呛。张川是个会浪漫的人，他每天给林嘉送一束夹着情话便签的鲜花，这可比陆瑟送的早餐管用多了。那时候林嘉会吃着陆瑟送来的鸡蛋，把玫瑰花塞到陆瑟的鼻子下面，让他闻是不是比昨天的那束百合香多了。如果不是张川主动人间蒸发，不再联系林嘉，林嘉或许还要迟疑更久的时间。陆瑟总告诉自己，这或许就是天道酬勤的道理——上帝显然是个实用主义者，比起送花的人，他更宠爱送白煮蛋的孩子。

早晨醒来，林嘉发现陆瑟真的变了一台时光机出来。

餐桌上摆着一桌丰盛的早餐，她揉了揉眼睛，觉得太阳从西边出来了。围着围裙的陆瑟从厨房出来，端着一枚心形的煎蛋。

"再等几分钟，给你煮的米酒汤圆就出锅了。"

林嘉穿着睡衣，愣在那里，她在算他们有多久没在一起吃过早餐了。陆瑟每天要早起赶班车去朝阳门一家出版社编辑稿子，而林嘉常常睡到下午，漫不经心地开车去三里屯的一家披着时尚外衣的土鳖杂志，给客户 update 新的广告方案。

吃完早餐，陆瑟吻着林嘉的脖子，推着她往前走，双手顺着林嘉的小腹向下滑去。

"闭上眼睛，再你一个惊喜。"

林嘉嘴角带着甜蜜的微笑应允着，碎步朝前挪着。她也不需要走得太快，她很享受现在，这算是几年来陆瑟最主动的一次前戏。林嘉睁开眼睛，书房，哦天哪！竟然在书房。林嘉下面一阵温热，她不止一次幻想过在书房做爱，可是这个出身书香门第的老公却从来不允许在这里有任何的亲昵。装修房子的时候，林嘉想要一面淡红色的墙，陆瑟却武断地把这里刷得雪白，陆瑟总是说这里是思考的地方，然后指一下墙上挂着的加缪的画像，说道："多少人犯下罪行仅仅因为不能忍受邪恶，我们可千万不能在这里犯罪哦。"然后和林嘉回到卧室里做中规中矩的爱。

陆瑟把窗帘拉着，锁上房门。桌上点着一盏香薰灯，散发着暧昧的味道。陆瑟把林嘉抱上书桌，从抽屉里摸出一套不知何时偷偷买回来的 SM 道具，他温柔地把林嘉的双手反锁起来，在林嘉的脚上套上性感的皮质脚铐，又在林嘉的嘴巴里塞上一枚可爱的红色口塞。林嘉从未觉得自己的爱人这么 man，他今天要在这里，自己从不敢造次的书房来一场自己要求许久的性爱游戏。

陆瑟用下体蹭着她，暧昧地望着她。林嘉的下面已经像海水一样泛滥了。

陆瑟问，你爱我吗。

林嘉点点头。陆瑟问，我带你回到三年前好不好？

林嘉点点头。陆瑟问，那你说回到过去你还会选张川吗？

林嘉摇摇头。

陆瑟从桌上跳了下去，把加缪的画像一把扯掉，他像变魔术一般从角落里拿起一把红色的尖锥，对着墙体敲了起来。

一下，一下，一下，陆瑟冷静得好像一个报时的座钟。

北京时间，早晨 9 点 12 分。

三分钟，仅仅三分钟。白色的墙面纷纷剥落，像秋天下起的树叶雨。瞪大了双眼的林嘉看到张川的脚骨从墙体里暴露出来，然后随着涂料掉落下来，掉在加缪的眼睛上。她认得那双绿色的球鞋，是自己送给张川的生日礼物。

"你不是一直嫌这里的装修太严肃了吗，我们现在把它改造成你要的红色好吗？"

陆瑟拿着尖锥走了过来，兴奋地说道。上帝是个守时的人，陆瑟最终还是讲出了自己的秘密。

4   江城，我快认不出你了

　　江城被一条大江与一条大河分成三瓣，像兔子的嘴唇。

　　从江河中蒸发出来的水汽，揉成一团，死死地覆盖在这座城市上空，如同一杯新沏的茶叶被"嗖"的一声仓促盖上了杯盖。水蒸气让杯中的空间越发逼仄，而生活在这个城市中的每一个人，像极了那些翻滚的茶叶一般艰难。

　　这些茶叶人——男性大多赤膊或是穿着一条远远落后于这个时代的白背心，女性则穿着类丝质的半透明裙装，老人拿着蒲扇有一下没一下地扇着热风，小孩则被汗水包裹着，他们早已习惯了出痱子——他们讲不出江边凉快是因为水的比热容高达 $4.2KJ/(kg\cdot℃)$ 这样的科学道理，但总是会恰到好处地待在江边。

　　这条大江是这座城市的图腾，这座城市沿着这条大江进行着衣食住行，生活起居，顺便卖一些水货。

　　茶叶人建起的江城，恐怕是人类历史上最不上进的一座城市。它提供足够辣的美食，足够多的棋牌室，足够正的美女以及足够有料的家长里短与社会新闻，却从不提供无聊之外的任何东西。年轻人从这座城市逃走，老年人在这座城市死掉，中年人则在这里负责变老，江城从不是一座提供意义的城市，而住在这里的 900 万人也从没有谁问过如此过分的问题。

　　这座城市有点儿像一锅麻辣烫，炖不出什么，但就那么一直保持炖着的状态。

　　最有意思的是，这座城市生产着世界上最多的大学生。无数的高校密密麻麻地聚拢在城市的边缘，和那些红灯区的失足妇女共同分享同一片土地。江城的市长名叫江大桥，他不止一次在各种会议上讲到自己有幸和这座城市同姓，然后便是雷鸣般的掌声，当掌声停下来，他会说教育是第一生产力，自己必将为教育事业鞠躬尽瘁，然后便是更加热烈的掌声。副市长的掌声总是鼓得最响，丝毫不掩盖自己有一颗期盼一把手早日鞠躬尽瘁的野心。

　　教育是第一生产力，它生产了房地产。那些郊区的苦逼农民，在雨后春笋般冒出的大学校区侵占了自己的塑料大棚之后，摇身一变，成了富甲一方的包租公。他们盖起了粗野的四层小楼，或是改成临时旅馆，或是长租给从宿舍逃出的大学生。每个月充裕的租金收入让他们终于有机会把余生献给麻将事业。

　　对，麻将绝对算得上江城的另一个图腾。

　　每当周末，从这些违章建筑中传出此起彼伏的叫床声时，教育才真正成了名副其实的生产力。这是一个低俗的比喻句，但事实上，的确如此。如果没有这些违章建筑，那些荷尔蒙爆浆的热血年轻人绝对无处安放自己的青春。他们在这些四壁空空、床为主要家具的房间里，经营着一场场短暂的爱情，一到四年不等的爱情。他们没法保证毕业的时候不失恋，也没有精力去思考四年之后何去何从。他们在高考中逃过一劫，军训之后甚至军训刚刚开始，他们就像饿了许久的豹子一样仓促地寻觅起猎物。

可以理解，男生和女生，他们都急于告别右手。

陆瑟的右手紧紧握着那个油腻腻的遥控器，左手垂在那条蓝米格纹的床单上。他斜耷着脑袋，脊背无力地靠在床板上，眼睛木呆呆地望着不断变换的电视频道。如果现在有人为他捏一张立拍得，就是中国版的《马拉之死》。一台淡绿色的老式电风扇立在床边，不停地摇着头，每摇一下都因为缺少润滑而发出吱吱呀呀的声音，仿佛在说"你、要、死、啦，你、要、死、啦"。

阔别四年回到大学时常住的这家旅馆，陆瑟从未想过它依然如此之破，全世界都在以摧枯拉朽的速度变化着，而这里依然保留着四年前穷困潦倒的风貌。

两周前，陆瑟就在同学群里说了自己要回到江城写小说。他说自己要回到学校周边的小旅馆里住一住，创作一部青春校园题材的小说。有同学立刻一针见血地指出了这一行径纯属臭矫情，对这一观点陆瑟倒是不置可否。记忆这东西绝对是易损品，就像遥控器上面的橡皮按钮，饱经沧桑之后文字模糊。陆瑟不知道哪个是音量，哪个是频道，哪个是菜单，只能"旧地重游"，逐一摸索。

最终还是有多嘴的女生，问出了那个大家都心知肚明却无人提及的问题——

"不会是为了林嘉吧？"

然后群里就是死一般的寂静。

当年谁都知道陆瑟和林嘉的校园爱情往事有多浪漫，却没人预料到这场爱情故事的结局会那么令人扼腕。大一的时候，在圣诞节的晚会上，陆瑟像个恐怖分子一样冲到台上抢走了系主任的话筒，然后当着整个学院师生的面为爱表白，为林嘉放飞了99个气球。陆瑟因此差点儿被开除。但直到他被记大过的时候，也没人想出来他怎么做到把那么大一簇气球偷偷摸摸带进会场的。

人不可能总以最好的一面示人，陆瑟也有丢脸的时刻。毕业散伙饭那天，谁也没想到平素一副文弱书生气的陆瑟会哭成那个逼样。他砸坏了饭店的电视，推倒了上来扶他的服务员。如果不是室友及时夺走他手中的火柴，他还要点燃包间里的那扇屏风。直到被清醒的同学抬到饭店大堂时，他还屡次冲过去抱紧了大堂中央那株巨大的盆景喊着林嘉的名字，并要求把盆景抢回家里。

爱情有时候挺像烟花的，人们都会记住最绚烂的花火，也会记得即将点燃时忐忑的心情，却根本不会留意它熄灭之后缕缕的残烟。

后来在宿舍里醒过酒来的陆瑟，听着室友们对自己打砸抢烧反社会行为的控诉，反而选择了缄默。就像散伙饭那天的林嘉一样，看着发了疯的陆瑟，一句话都没有说。

没人知道陆瑟发疯的原因，因为前一天他们还如漆似胶地爱着。但此刻大家都知道，他们吹了。

"怎么会！我就是想咱们学校了。"

陆瑟的回答让群里再一次恢复了喜庆祥和的气氛。大家重新热情澎湃地聊着四年前的陈年旧事，全然忘记了身上的房贷与车贷。留在江城的男生们嘻嘻哈哈，闹着说等陆瑟来了一定要回到学校再干一盘 CS，踢一场球，喝一顿大酒。

"喂，喂，喂……暴哥，你这信号也忒差了……什么……开会啊，成，下次呗……"

"喂，亮亮，喝酒吗？……我，你陆哥啊，我声音你也听不出来了……哦，得去丈母娘家吃饭啊……成，成，不急……"

"嘿，对，斌哥，是我，我回来写书呗……咳……瞎混呗……啊，在珠市跟项目啊，没事，我待好久呢，你回来咱再喝……得嘞，Bye。"

陆瑟放下手机，捡起遥控器重新把电视声音调大，摸了摸下巴。自己从什么时候学得这么一口令人生厌的京腔，然后这些当年都待在宿舍没日没夜打游戏的室友，又从什么时候开始全都忙成这个狗样子。

"忙是好事"，这是陆瑟面对身边忙碌的朋友最爱用的客套话。

作为一名自由职业者，陆瑟也总是尽量让自己忙起来，比如回到江城，回到大学旁边这个破旧小旅馆里进行所谓的体验式写作。但这次的体验和大学时还是有着本质上的不同，大学时的陆瑟绝不会像现在这样无聊地盯着天花板这么久。已经来江城三天了，一个老同学也没有约到，除了白天去市里转转，陆瑟几乎把所有的时间都用来对着一台 17 英寸的小电视机发呆。

已经是晚饭时刻，他甚至连食欲都没有。

"打麻将来不？"

门被推开一条缝，伸进一头"大波浪"。这位声音里透着无限热情的老阿姨，是旅馆的老板娘。这已经是她三天里第四次叫陆瑟打麻将了，可想而知，三缺一才是世界上最痛苦的事。

江城人民的热情总是通过一局局麻将呈现出来，尤其是到了大波浪的这个年纪，如狼似虎的劲儿早已过去，即便面对陆瑟这样的精壮少年，露出两条人鱼线，她此刻最想做的是把他拉到牌桌上去，而非床上。她一生中的发早已做完，剩下的高潮必将在和牌中获得。

大波浪坐到陆瑟的旁边，古道热肠地劝导道："走吧，悲情男孩，下去搓麻咯，老在床上躺着，有个什么意思哪？"

对啊，床，生命诞生的圣地，怎能用来独处，但是话说回来，如此圣地，又怎么可以用来劝导他人搓麻？陆瑟换了一个频道，没有吭声。

"是不是考试没考好？"

陆瑟是长着一张娃娃脸，可这样的猜测还是让他心生不满。一个27岁的男人，被人屡次当作学生，简直是一串串响亮的耳光。第一巴掌，打在你脱不掉的稚气；第二巴掌，打在你毫不成功的现状；第三巴掌，则打在你毫无吸引力的阴茎上。没人愿意和一个男孩做爱，他们总是毛手毛脚，像一只急于掰开一根香蕉的猩猩。

大波浪撩了一下头发，继续劝说道："反正也不打大的，陪我们小玩几圈嘛，免你一晚房费好了。"

48

　　这个精明的女人，明知道一晚的房费并没多少钱，更何况是在暑假这样一个住宿淡季，学生们全都放假回家，陆瑟来常住便已是给她占够了便宜。但她祭出这一理由，清楚地知道待会儿只需要自摸一把便可以轻松捞回。

　　陆瑟站起了身，关上电视，说，走吧，我最多玩一个小时。他不知道自己如果拒绝，大波浪又会在这里继续磨上多久。大波浪站起身来，像麻雀一样欢快地飞了出去，一边在走廊里叽叽喳喳地大声唤着早已准备多时的另外两家房客。

　　陆瑟就这样坐在了底楼门厅的正中央，一台金光闪闪的全自动麻将机旁边。电视是破旧的，没有洗衣机，热水器上布满了锈，刚才自己在这家旅馆所看到的一切电器，原来都是为了衬托出这台麻将机的雍容华贵。

　　今天要输得连腰带都不会剩下了吧，陆瑟想道。

　　意气风发的大波浪坐在对家，不停地搓着桌上的打火机。那枚屎黄色的一次性打火机最多价值5毛钱，但根据大波浪的说法可以带给自己无比旺盛的手气，谁也不允许动她的"火"。左手边的赤膊大叔只得费劲儿地从短裤里摸出自己的"火"，压在一把散钱上，还调整方位把火机屁股对着大波浪，大有针锋相对的架势。右手边穿花衬衫的矮个儿，因为屡屡摸到一手臭牌而牢骚不断，却从不肯停下卖力抠着脚趾缝的右手。

就像被硬拉去跳老年广场舞一样别扭，陆瑟不知道和牌友们说些什么，他只是默默地摸着牌，偶尔看一眼被架在墙壁上的电视机。

"一小时前，在我市琥珀巷西侧的天桥下，发生了一起故意伤人事件……"

"白板！"大波浪丢出一张麻将，从牌墙里摸起一张牌。显然那是一张好牌，她攥在手里像握着一根金条。

"……受害者是一名江城科技大学大四的 21 岁女生，目前依然在抢救之中，生命情况仍不乐观……"

大波浪瞄了一眼电视，回过头来噘着嘴巴，啧啧惋惜起来。

"多好的姑娘啊，就这样被人害了，哎呀，真是……自摸……哈，我自摸了啊各位财神爷……"

"我操，你今天真是婊子抠逼，手气骚得哟。"

花衬衫不情愿地把手从脚趾缝里抽出，摸出 20 块钱丢到了大波浪的面前。大波浪对着赤膊大叔的背上"啪"的拍了一下，摇头晃脑地絮叨着拿钱拿钱。陆瑟把 20 元交给大波浪，把注意力投回了电视机。那个女孩满脸是血地躺在地上，周围是闹哄哄的大叔大妈围着救护车七嘴八舌。目击者的拍摄水平很是不行，镜头晃得像小鸡啄米。

新一轮牌局很快开始了，陆瑟一边摸着牌，一边斜盯着电视。

"……据目击者称，凶手身高一米七五左右，身穿黑色衬衣，戴黑色太阳帽，戴黑色口罩。该犯罪嫌疑人在众目睽睽之下迅速逃离现场……"

镜头又切到了那个拍客拍下的画面，大家都还没反应过来发生了血案，那个瘦瘦的黑衣男子就像一条鲫鱼，很快消失在了呆若木鸡的人流中，只留下一个瘦削的背影。

"……本周内接连发生在省博物馆、新宇宙百货以及江城大桥的3起暴力伤人案……作案手法极其相似……目标对象也都是穿长裙的女大学生……警方怀疑或是同一凶手……"

"相公了哥们！哎，你到底会不会抓牌……"花衬衫升起那条抠脚的手臂，一下拍在陆瑟的肩膀上。陆瑟期期艾艾地道着歉，抓了最后一张牌。

东西南北白发财，陆瑟盯着眼前一排不重样的风牌，知道这局必然又是输钱。但他没想到这把会这么快，3圈还没抓到，竟然就点了大波浪的炮。陆瑟借口头晕，结束了牌局，在大波浪骂骂咧咧的挽留声中，朝楼上走去。

陆瑟又回到了那面单调的天花板下面，躺在那张枯热的单人床上，落地扇在他旁边摇着头。

陆瑟是真的头晕。

他认识那个背影。确切地说是他觉得自己认识那个背影。

其实那个黑衬衫的背影在画面中出现的时间不会超过 3 秒钟，但陆瑟就是那么觉得，他认得那个背影。

首先，那个倒在血泊里的女孩像极了林嘉的样子——大眼睛，白皮肤，穿着一条碎花裙。这曾是陆瑟最喜欢的类型，就像一朵用纸叠成的水仙。

其次，发生血案的 4 个地方让陆瑟完全惊呆了，这世上绝对不存在这样的巧合。在四年前的那一天，就是那个陆瑟发疯的散伙饭之夜以前的 12 个小时里，林嘉和他曾去了这几个地方。

陆瑟将落地扇朝自己拉近了一些，仔细地回忆起那个大学里最伤心的一天。

他兴冲冲地告诉林嘉自己拿到了北京一家时尚杂志的 offer，机票就在明天，而林嘉要做的不过是等他稳定后的下一个月去找他，然后在帝都开始奋斗。他未承想到林嘉听到这个好消息的第一个表情是面无表情。面无表情之后的第一句话是，我们分手吧。

陆瑟是个温和的人，林嘉是个隐忍的人。这注定了他们都会在肚子里悄然埋下一些对方不知道的决定，等到时机成熟的时候，猛然抛给对方，然后眼睁睁看对方手足无措。

于是他们荒谬地开始了和平分手的最后一天约会。分手与约会，本是两个强烈矛盾的反义词，却不得不同时出现在同一个 12 小时内。

早晨，他们排第一拨队早早去了省博物馆，看了那口陆瑟大一时答应将来一定会偷回家里给林嘉演奏的编钟；上午，陆瑟带林嘉去了新宇宙百货，逛了那里面 70% 他买不起并承诺以后每一家都要买给林嘉穿的品牌；下午，他们去了江城大桥，他们在那里照了几张合影，因为陆瑟曾说过将来要在这里拍婚纱；傍晚，他们去琥珀巷吃了他们最常吃的那家糊汤粉，两人吃了一碗，因为等下还有聚餐。

最后他们回了学校，开始了那顿绝望的散伙饭。

这一天的事情陆瑟从来没有跟别人提起过，一方面是羞于提及，一方面是没有提及的理由。即便是他在北京三里屯酒吧里酩酊大醉，拿起酒瓶跟老外干架被黑人朋友一拳撂倒在舞池里的时候，他也从来没想过去和谁讲述这一天发生的事情。陆瑟认为没谁配得上分享这段记忆，而一旦选择向别人讲述就必然意味着你不再愿意保证一段记忆的纯粹性。

但独自保存记忆，就不得不面对记忆片段的丢失。陆瑟始终记不起来那个黑衬衫的男子究竟在哪一天的哪一刻出现过。

陆瑟关掉落地扇，走到窗前，天气阴沉沉的，要下一场大雨似的。

这座旅馆正对着学校的操场，以及操场旁边的矮小二层小楼。那里是大学生艺术中心，学校里那些闲散的学生社团将那座小楼里所有的房间瓜分为各自的办公室，舞蹈社在二楼东区，辩论社在一楼西区，吉他社在二楼西区，青年志愿者协会则在一楼拐角处的厕所旁边。

陆瑟记得这么清楚是因为他和林嘉曾经常在那里做爱。他们趁那些社团不在那里开会的时间，悄悄地溜进去，林嘉躺在那些坚硬无比的办公桌上，陆瑟就弯下腰来亲吻她柔软的乳房……

A218。

陆瑟点起一根香烟，忽然就想起这个号码，舞蹈社办公室的门牌号。

那里是整栋大学生艺术中心里最浪漫的房间，因为有整面落地的大玻璃，还有巨大的衣柜，可以在走廊里来人的时候迅速藏在里面。他们从来没有被发现过。

就是这个房间。陆瑟觉得自己想起了那个丢失的记忆片段。

散伙饭之后，自己并没有立刻被舍友抬回宿舍，在他要抢饭店盆景和将其抬回宿舍之间，有 30 分钟的空白。这 30 分钟里，他和林嘉来到了 A218，他们并非一起来的，而是在这里碰面。

"分手约会"的行程里，最后一站是在这里，做一场爱，最后一场爱。然而当他们面面相觑的时候，他们没有选择做爱，因为这并不是小说或是电影里的疯狂情节，他们只是坐在那里，抽着烟，聊着天。

聊天的内容陆瑟肯定记不得了，但他记得那个黑色衬衣的背影。林嘉给了他一个吻，然后走出了 A218，没有回头。陆瑟直到抽完那 6 块一包的小白龙之后才走出房间，他站在走廊里，或者说醉醺醺地靠在走廊的墙壁上，朝楼下望去。林嘉的背影还和她大一军训时一样迷人——走在婆娑的路灯下，缓慢地，无声地——只是那时朝陆瑟走来，现在离陆瑟而去。

那个黑色衬衣的背影就在那一刻，出现在一辆黑色轿车的旁边。车门大开，像一只张开血口的巨狮，将林嘉吞了进去，然后消失在路灯照不到的地方。10 分钟后，陆瑟镇静地宣布自己失恋了，然后往宿舍走去。世界上最可怕的失恋是连理由都不知道，但显然陆瑟

55

搞清楚了自己的爱情死在哪里。

A218。A218。A218。

陆瑟念叨着这个号码，外面就下起了大雨，雨水开始溅进房间来。陆瑟关上窗户，忽然想起那扇关上的车门，忽然想起电视新闻里那个凶手，忽然开始觉得情况不妙。

陆瑟并不知道林嘉和黑衬衫后来发生了什么，但他知道男人忌恨起来是很可怕的动物。为什么黑衬衫要去伤害那3个素不相识的女孩？为什么黑衬衫伤害的女孩都和林嘉如此相似？为什么选择在林嘉和自己"分手约会"那天里的那些地点？

连顺序都是相同的。

顺序……地点……A218！

陆瑟忽然紧张起来，因为他觉得自己知道了下一场命案会发生在哪里。陆瑟双手都在颤抖，他急忙拿起电话，拨起了林嘉的号码。四年了，他没给林嘉发过一条短信，但这串号码就像被电焊在了大脑里一样深刻。

"对不起，您所拨打的电话正在通话中。"

天哪，占线，这并非一个好现象。陆瑟看了一眼手表，9点05分。这意味着还有25分钟，四年前的那场散伙饭就要结束，而半小时内，林嘉和陆瑟将会出现在舞蹈社。

　　陆瑟来不及拿伞，慌忙戴上一顶帽子就朝门外奔去。此刻，他必须去阻止黑衬衫，阻止那个当年抢走他爱人的混蛋再一次伤害他的爱人。陆瑟顾不上和门口的那桌麻将打招呼，便冲进了雨里。那桌麻将和 A218 无关，他们只在乎二五八万。一个瘦削的老人代替了自己的位置，大波浪脸上的表情在向全世界宣告自己一直在输。一物降一物，就算在麻将桌上亦然如此。

　　A218 和大学时并无二致，落地镜子，大衣柜，摆在墙边的条椅，空旷的地板。只是多了一面屏风。陆瑟想，后来的学生们一定也在这里做爱，他甚至隐约闻到了精液的味道。

　　陆瑟将一把跳刀揣进袖子里，想象着等下该如何拉起林嘉飞奔，以及被黑衬衫发现后如何与之搏斗。忽然，门外传来了脚步声。陆瑟从门缝里瞄了一眼，黑衬衫竟然先到了，他急忙藏到了屏风后面，手中紧紧攥着那把跳刀。

　　起码要看清楚是谁夺走了自己曾经最爱的人，再捅过去吧，陆瑟想。

　　黑衬衫走了进来，他不知道已经有人先到一步，他以为只有自己在这个房间里。他叉着双手，在舞蹈社里焦急地走来走去，皮鞋在空荡荡的房间里敲起的回音每一声都显得万分残酷，如同敲在陆瑟的心脏之上。陆瑟此刻急于想看清楚黑衬衫的脸，可是屏风的那条缝隙实在太细了，黑衬衫自始至终没有好的角度面向屏风这一面。

黑色衬衫，黑色皮鞋，黑色帽子，这个死亡暴徒，陆瑟觉得他此刻简直就是撒旦的化身。

门口忽然传了嗒嗒的高跟鞋声，陆瑟知道是林嘉到了。林嘉永远那么守时，无论是约会、上课，还是当年和自己的"分手约会"，甚至是面对这次未知的死亡，她都从不迟到。从屏风的缝隙中，陆瑟看到黑衬衫走到落地镜子前，匆忙地打理了一下头发。这个衣冠禽兽，就连夺去别人生命之前还要保持道貌岸然的风度。陆瑟又一次抓紧手中的跳刀，一把充满恨意的跳刀。

"你为什么离开他？"

正要从暗处跳出来的陆瑟未曾想到，黑衬衫会问出这样的问题。这个问题曾在"分手约会"开始的那一整天里都让陆瑟感觉到困惑，但当他那天晚上看到黑衬衫的出现后，这一问题便不再困扰他，这无非是一个"在自行车上笑还是在宝马车里哭"的选择题。陆瑟目测了一下自己离林嘉的距离，一个箭步冲过去，差不多只需要几秒钟。既然如此，听听林嘉的回答倒也无妨，看眼前这个女人如何再一次伤害自己。

"见面就问这个，你觉得有意思吗？"

女人的选择题永远是世界上最难的，答案绝不会是 ABC 其中的任何一个，但当她们面对男人抛出的选择题时，总能打太极似的将疑问化繁为简，化整为零。陆瑟在屏风后面苦笑着摇了摇头。

"当然，我必须知道答案。"黑衬衫冷冷地问道。

林嘉就那样走了过来，靠在屏风上，完全挡着了陆瑟的视野。

"你知道他当年作出的决定吗？他甚至已经买完了去北京的机票，我才知道他的决定。我不在乎是否跟他北漂，我不怕吃苦，我在乎的是他画好的未来中，我从来都不是最重要的一笔。我只是他蓝图上的一抹点缀，有一个时刻陪伴他的女朋友在他的奋斗之路上必然出彩，可是那个女朋友究竟是谁，对他而言，根本不重要。"林嘉冷冷地叙述着，仿佛在说一件和自己毫无关联的事情。

"可是……"黑衬衫想说些什么，却直接被林嘉忽视掉了。

林嘉在房间里焦虑地走动着，"毕业的那段时间，他在电视台实习，我能感受到他的忙碌。但你知道吗，那是一种把我们的爱掏空了的忙碌。每天晚上回来，他看我的眼神中根本不再带着爱意；而当我和他说话的时候，他觉得我打扰到了他，因为他的眼神中甚至带着敌意。所以，既然我没法陪他一起走下去，不如我离开他给彼此最大的自由。"林嘉的眼神第一次闪烁起来，陆瑟看着那双曾无数次凝望的明眸，觉得是那么熟悉，又是那么陌生。

"那你说，我又算什么？你为什么要爬上我的车！"黑衬衫气急败坏起来，走到林嘉的面前，质问道。

"你的车？是他的车吧？你曾说过无论何时，我们彼此因为何种原因分道扬镳，你都会第一个转身冲上来抱紧我不让我离开，可那天，你根本没有追上来，却是被一辆轿车击败了？哈哈，也只有你们这些男人，才会觉得物质是那么重要吧，甚至胜过爱情吧。你是否想过，或许是你追逐物质的野心，让你眼前的一切都变了味道吧。或许只是一个送我回家的朋友，又或许是接我回家的家人，可是你却立刻下了判断，"林嘉冷笑着吐出一排连珠炮，"就像你所谓的来自北京的 offer 一样，根本就是符号，一个让你选择离开爱情奔向事业的符号。不过不管如何，我的爱情输给你的事业，起码证明我爱过的那个男人是有理想的人……"

黑衬衫暴躁地抓着自己的头发，咬紧嘴唇，终于开始疯掉了。他没有想到林嘉能讲出这么多道理，而这些道理没有一句不包含着对陆瑟的爱，然而冷酷的事实却在最后一秒钟撕破了一切。他从袖子里拿出一把匕首，朝林嘉刺去，他必须把自己眼前的这个女人杀死，因为她让她面前的这个男人一瞬间明白了，自己有多渺小。

陆瑟从屏风里跳了出来，他觉得自己同样渺小，他还想和林嘉辩论，证明自己并非爱江山不爱美人，证明自己四年来没有一秒不在想着她，证明自己立刻要把眼前的这个黑衬衫击倒重新和她在一起。

可当他真真正正跳出来的时候，他只看到林嘉躺在血泊里，眉头紧蹙，碎花长裙铺在她的周围，上面的血迹像盛开的花朵。陆瑟此刻像一条疯狗，他从袖子里拿起跳刀，要给这个杀死林嘉的男人一刀。黑衬衫和新闻视频里一样身手敏捷，一个箭步藏进了那架大衣柜中。陆瑟冲了过去，可怎么也拉不开那扇柜门。

操你妈！

陆瑟骂着，哭着，将血泊中的林嘉抱起，林嘉嘴巴一张一翕，说了人生的最后一句话：“那又怎样，可他的理想里……没有……我……”林嘉似乎就要死去了，而且临死前还将陆瑟的爱情彻底扼死。

陆瑟终于回过神来，像从梦里掉回到现实中来。他跪在地上，颤抖着双手，像一个帕金森综合征的患者，拨打着急救电话。1—2—0，短短的3个按键，就像一场马拉松，陆瑟一次次按错。1—1—0，同样短短的3个按键，像是"我—爱—你"3个字，此时此刻看着面前的林嘉，却再也没勇气说出口。

不知道过了多久，伴着一声大喝，房门被一脚踹开。

一堆警察一拥而上，将陆瑟按倒在地上。这没有什么好质疑的，一个密闭的房间里，只有血泊中的林嘉和拿着匕首的陆瑟，谁也猜得到凶手。陆瑟想说些什么，可是脸却被武警的膝盖紧紧地抵在地板上，无法吭声。

他的脸似乎浸在了林嘉的鲜血中，有点儿咸。

陆瑟想，只是那个黑衬衫，躲在柜子里的黑衬衫，那个杀人凶手，却可以逃过一劫。

事实上，他也没有那么幸运。当陆瑟被押起来的时候，他也被同时戴上了手铐。

被警察一脚踹开的柜子里空无一人。而镜子中，那个神秘的杀人凶手被反剪着双手，黑衬衫，黑皮鞋，黑色太阳帽，黑色口罩，只是长着一张和陆瑟一模一样的脸。

5　地铁

　　如果你熟知北京的地铁，便会知道在上下班的时间，那里根本就是一望无际的海洋。人们排着队沿着固定路线往前涌进，就像是大西洋某条循规蹈矩的洋流。这些洋流在换乘通道里交错、融合、分开，最终停在屏蔽门前，等待被一辆辆列车带入黑暗的海底洞穴。

　　西二旗地铁站，高高的台阶上面，林嘉和陆瑟吵架了。他们相隔不足一米，彼此不看对方，眼神里却全都是无处倾泻的压抑，在流动的人群中，静止的两人就像两座灯塔一样矗立在那儿。假如此刻是在小说里，这时的气氛一定是安静而诡异的——作者会尽量使用一些干净的动词，酌量添加形容词，再撒少许短小比喻句，来营造一种针尖即将刺向气球的状态——然而这毕竟是现实生活，没人愿意多看他们一眼，地铁里总有情侣吵架，可是观众却不能总是因为观看这些而打卡迟到。他们早已对这些与自己生存无关的故事免疫，他们甚至从陆瑟和林嘉中间穿过。

　　陆瑟冲上去抱紧了林嘉，在林嘉背后看了一眼手表。相比面前的恋爱烂摊子，他此刻更担心迟到，他今天要给老板讲一份做了一个月的策划案。他的公司就在地铁边上，但是他每天都会把林嘉送到月台上再出站去上班，这曾是他们恋爱的规律，但此刻他用频繁地看表来表达不厌其烦。

　　林嘉似乎觉察到了背后陆瑟的坏情绪，一把挣开陆瑟的怀抱。

　　"我们分手吧。"

　　林嘉吼出这句话的时候，满脑子都是力学分析，她记得陆瑟的胳膊从前没这么好挣脱啊。无数次吵架他都会冲上来一把抱紧她，然后林嘉所有的抱怨都会没了影儿。陆瑟的手臂是把大钳子，总能把自己箍得死死的。

　　一阵风吹了过来，把林嘉的长发吹起。林嘉知道是地铁来了，便朝着台阶下飞奔而去。你们或许不知道吧？地铁里永远只会刮两种风，一种将头发朝耳后吹起，一种却会把头发吸附到脸上。前者是有列车即将进站，后者则是列车已经开走。

　　林嘉忽然记起来，这个冷知识还是陆瑟告诉自己的，这样她就不必在扶梯上听到下面列车的声音，慌忙跑下去，却发现是列车开走了。陆瑟禁止她在扶梯上奔跑，北京地铁每年因为脚下慌忙而发生的失足事故从来不是一个小数目。

　　陆瑟曾是林嘉的"冷知识大王"，他总在她耳边嗡嗡地讲广告上的手表为什么永远指向 10 点 10 分，其实只有母蚊子才咬人，所有大洲的英文名字首字母和最后一个字母都是一样的。而现在，陆瑟每天更乐于聊房贷还得还多久、领导为什么迟迟没给自己加薪以及停在楼下的汽车为什么又被小孩刮了。

"他一定是不爱我了。"

林嘉越想越讨厌这个日趋无趣的陆瑟。她一边想着这些，一边四下张望，往常陆瑟是会追上来的，可是这次她却并没有看到陆瑟的踪影。

"或许是人太多，他没有挤上来。"林嘉如是想到，却依然没有收回四处巡视的目光。

隔着半节车厢，她看到了陆瑟，正一点点地往这边挪过来。穿着她买的米色休闲西装，黑色的货车帽把脸挡得严严实实，白色的耳机线从帽子里垂下来。哼，跟我吵架了还有心情听歌，等下即使你凑过来我也不会原谅你。

林嘉侧过一半儿身去，背对着陆瑟走来的方向。

"扑哧"，林嘉扭过去的一刻还是没忍住小声笑了出来。她想起陆瑟早晨穿衣服的时候，她笑话陆瑟戴这顶帽子看起来活脱脱像一个送快递的。然后陆瑟就把帽檐拉低挡着一对儿小眼睛，她说，嗯，你挡着脸真帅，然后，陆瑟就扑到床上一副要吃掉她的样子和她"扭打"起来。

她当时觉得陆瑟可性感了，脱口而出："哈，老公，要不要来一发？"陆瑟的脸顿时就黑下来了，他阴阳怪气地说："迟到了知道吗？还来一发！银行不让我还贷款的话，我一天来十发！"陆瑟说这些话的时候，几乎要把手表凑到她的脸上去了。林嘉知道他有压力，也知道他今天要给老板作个重要的报告，可还是觉得扫兴得不行。

实际上他们已经快一个月没做爱了，这或许也是今天吵架的由头之一。

林嘉的脸又黑了下来，等下陆瑟挤过来的时候一定要用高跟鞋狠狠地踩他一脚才算解气。

地铁开始报站，普通话加塑料英语。"下一站，五道口。"人群开始朝门口涌动，林嘉似乎闻到了陆瑟凑过来的气息，于是她像个小女孩一样闭上了眼睛。

陆瑟竟然把手伸进林嘉的小短裙里摸了那么一下。

"喂，陆瑟，你讨厌……"林嘉一边嘀咕着一边扭过身来。一个胡子拉碴的大叔慌忙把眼神投向了斜上方的拉环，陆瑟根本没有在身后。

林嘉的眼泪都要流下来了，她像个在公园里丢了妈妈的小女孩一样慌忙地四下寻觅她亲爱的陆瑟，没有米色西服，也没有黑色货车帽，她刚才根本就是认错人了，满世界只有各式各样疲倦而麻木的表情，以及带着口臭的哈欠。这时，门开了，林嘉被人流卷到了站台上，那个揩了自己油的咸猪手大叔像一条泥鳅一样，顺着人流就那么溜走了。

林嘉生气得就像一个即将爆炸的氢气球。她掏出手机，她要打给陆瑟破口大骂。那个说过要永远保护自己的陆瑟哪里去了？那个说过每次吵架无论谁对谁错都会做第一个转身的陆瑟哪里去了？那个说过……

哦，天哪！陆瑟的手机关机了。

林嘉翻出手机备忘录。在他们恋爱的三年里，他们一共吵过144次架，而单单在过去的一个月里，他们就一共吵了74次架，平均下来每天两次还除不尽。每次吵架林嘉都会说分手，然后在备忘录里记下一笔，还说等到吵够1000次就真的分手，这个时候陆瑟的话总是："Honey，只怕那时候我们已经吵成了无法分离的真爱哟。"

"套话！屁话！花言巧语！混蛋，你就会骗人！"

然而很显然林嘉对这句话还是很受用的，因为这个时候她总会一边骂陆瑟混蛋，一边乐颠颠地做起了家务。

　　林嘉茫然无措地站在五道口地铁站的人流之中，忽然开始反思自己之前是不是太过任性。人类就是这样，在真爱中就会变得卑贱，明明怀揣着爱，却总要拿针尖有事没事儿去刺一下对方，似乎刺痛对方才是爱情存在的明证。林嘉害怕起来，她知道陆瑟从不说分手，然而一旦说出来，就一定没有退路，这次没有追上来是不是就是分手的前兆呢？

　　林嘉几乎是以百米冲刺的速度奔向了对面月台。她要赶回去。她要回到西二旗，去跟陆瑟说一句抱歉。她虽然爱说分手，但此刻却怕死了真的分手。两个人里总有一个人要转身，既然爱着彼此，谁先谁后又有多重要呢？

　　五道口到西二旗，漫长的 8 分 56 秒。

　　林嘉跳上西二旗的月台，看到人群都聚集在台阶的一侧看些什么，一定又是抓到了小偷或是因为拥挤发生了争斗。林嘉才没闲工夫去看这些呢，她向台阶上奔跑去，她要见到陆瑟，爱情才是正经事。

　　林嘉爬了一半台阶，下意识地用余光扫了一眼下面的人群，像一朵黑色大丽花。林嘉突然停了下来，一只脚已经迈到上一层台阶，而另一只脚却无法拔起。她就那样瘫软在扶梯上，她的眼神死死地聚焦在了人群的正中央。

躺在那朵花蕊里的人，是陆瑟。

陆瑟趴在一摊鲜血之上，血水上飘着白色的脑浆。

人群里的评论声夹杂着嗡嗡声抢着奔向林嘉的耳朵。

"这男的刚才疯子一样地往台阶下跑。"

"嗡嗡嗡嗡……"

"栽了下去。"

"嗡嗡嗡嗡……"

"废话，肯定死了啊。"

"嗡嗡嗡嗡……"

"赶紧拍张照片发微博。"

"嗡嗡嗡嗡……"

"就算有天我们走丢了，我也一定会在原地等你。"

林嘉忽然想起陆瑟说过的这句话，不知道他到底算不算一个骗子。

6 礼物

"谢谢你啊，林医生……"

"好啦，有什么赞美留着明天上班时间再说吧，要是你直接打给院长就更好了。"

放下电话，提起锅盖，林嘉把刚刚翻炒过的牛腩和土豆一股脑儿倒进旁边的煮锅里。林嘉瞥了一眼菜谱，还需要小火焖两个小时，然后看了一眼手表，北京时间 7 点整，距离陆瑟下班还得一会儿。那就让菜多焖一会儿，反正林嘉记得陆瑟一直喜欢松软的东西，土豆要入口成泥，牛腩要越老越佳。

林嘉缓慢地走回客厅，脸上爬满疲惫。她觉得自己就像一个刚喂完乳汁筋疲力尽的母亲，然后又觉得这个比喻并不合适，因为自己一直没有要孩子，她当然不知道喂完奶会不会累。

她上午飞去南京做了一台心脏手术，下午给当地的医院开了一场小型讲座，开完讲座就又连轴转地飞回了北京。从机场到家，她几乎没有停歇，便脱下白衬衣，换上白围裙，开始做菜。从白色到白色，她就像从来没从手术台上走下来一样。林嘉从冰箱里拿出一瓶苏打水，然后深深地陷进了沙发里，从烟盒里摸出一支摩尔，点燃，深吸一口，吐了出来。烟草可以让她迅速地从疲惫中恢复过来，尽管作为医生她本该比别人更清楚如何照顾一颗肺。但作为烟民她更会知道，抽烟有害健康，不抽烟有害心情。

　　林嘉百无聊赖地打开电视，电视里正在转播一场跳水比赛，选手跳水失误，像一颗炸弹一样掉进水里，溅起两米多高的巨大水花。林嘉张大了嘴巴，为选手惋惜，这时候却看到一个过气的老年相声演员从水里浮了出来，一脸败象。林嘉摇了摇头，明星跳水秀，现在的电视节目可真够无聊的。或许是自己的等待放大了电视节目的无聊，明星们每一跳的表情都跟要跳楼一样难看。

　　明星全部跳完了，陆瑟还没有回来。

　　电话忽然响了起来，林嘉抓起手机，只看到一条信息：小熊，在开会，晚点回。

　　其实这没什么，晚归是陆瑟的常态。他们恋爱七年，结婚七年，自从她升为主任医师，陆瑟下海开起了互联网公司，这样的生活也差不多过了五年——没有惊喜，没有新鲜，连"小熊"这个昵称也越叫越没有爱意，只有越来越少的共进晚餐，以及只要林嘉不主动要求就绝对不会来临的敷衍的做爱。

　　但今天不一样啊，今天是陆瑟的生日。他们一年只过 3 次节日——林嘉的生日，陆瑟的生日，以及结婚纪念日。可是在今年已过去的日子里，陆瑟忘了林嘉的生日，林嘉忘了两人的结婚纪念日，只剩下陆瑟的生日了，而在前一周，陆瑟还说要在今天给林嘉补一个大大的生日礼物。

林嘉可以抢救许多病人的生命，却根本留不下时间，时针已过8点，只有不到4个小时，他们两人在今年最后的纪念日就要结束，她必须把陆瑟拉回家。

尽管陆瑟已经尽量捂着话筒了，但还是有嘈杂的唱歌声从电话里传了出来，一个劲儿地往林嘉的耳朵里钻。陆瑟以一种极度正经的声音说"我在开会呢，特安静，待会儿再说啊"，然后就挂断了电话。林嘉盯着屏幕，似乎整个手机还在往外冒着刺鼻的妖媚的香水味。

林嘉忽然觉得悲凉，她此刻已经知道陆瑟会在凌晨三四点回到家里，然后说之所以匆忙挂断是因为中国移动的糟糕信号，之所以满身香水味是因为陪客户时客户点来的难缠的KTV点歌公主，以及这绝对是最后一次晚归。

而这种香水味，林嘉不止一次在陆瑟的秘书小吴身上闻到过。

欺骗是无耻的，而陆瑟的欺骗从来都是无耻中的无耻——他在外面玩，说是开会，一片嬉笑喧哗却硬要说成安静——林嘉忽然觉得，这样的欺骗几乎就像是无法医治的癌症晚期。病人今天做完了化疗，明天醒来依然会痛，一次手术、一瓶药物、一针麻醉，其实都只不过是拖延死亡来临的时刻。林嘉的眼里，这些病人从拿到诊断书的一刻，就已经死了。

林嘉摘下围裙，换上白大褂。

临走之前，她还去厨房看了一眼土豆牛腩，酱汤咕嘟嘟地冒着泡泡。

没人知道林嘉是怎么找到陆瑟所在的 KTV 的，但当人们吹完蜡烛，灯光再亮起时，林嘉就这样一身白大褂地出现在了人群之中，桌子上放着那块来不及被藏起来的写着 "Honey, Happy Birthday！" 的生日蛋糕。

陆瑟、陆瑟的秘书，以及在场的所有人，都被林嘉强大的气场所震慑，他们眼睁睁看着林嘉安静地坐下，为自己点了一首蔡健雅的歌曲，然后面无表情地唱完了整首歌。

"想念变成一条线，在时间里面漫延，长得可以把世界切成了两个面，他在春天那一边，你的秋天刚落叶，刚落叶……"

林嘉的嗓音没怎么变，还和当年一样带有诱惑的磁性，如果是在气氛正好的生日派对上，大家一定会鼓起掌来，可是现在大家面面相觑，没人敢说话。林嘉放下话筒，把写着 "Honey" 的那一块蛋糕切了下来，递给了陆瑟，直到现在，她也坚定地认为只有自己才拥有管陆瑟叫"亲爱的"的权利。

"你够了！"

陆瑟把她手里的蛋糕打翻在了地上，然后将她拽出了包间。其实称不上"拽"，林嘉走得不比陆瑟慢。到了楼下，林嘉几乎是被塞进汽车后座上去的。陆瑟喘着粗气，胸口一起一伏，将车开得飞快，林嘉一言不发，看着手表秒针一下下地跳动。

从 KTV 到家，其实不过 14 分钟的车程。

"这就是你给我的生日礼物吗？"陆瑟狠狠地问道。

林嘉嗤笑起来，一个偷吃的男人，怎么还可以这么理直气壮。林嘉没有回答陆瑟的问题，甚至没有看一眼陆瑟，只是冷冷地问道："那我问你，我的生日礼物呢？"

"没有！"陆瑟吼道，"是的，我是和小吴一起过生日。她答应给我生一个孩子，可你呢，口口声声说事业为重，七年了，我们的孩子呢！"

说完这些，陆瑟反而像惨败一样倒在了沙发上，拽着头发，接连嘟囔着说对不起。

林嘉笑了起来，她去厨房给陆瑟倒了一大杯水，递到他的手里。陆瑟咕咚咕咚全部喝完，然后手一抖，杯子掉在了地板上，一地的玻璃碎片。陆瑟抬头看着林嘉，眼神里充斥着不满、委屈、抱歉与矛盾。

他继续絮叨着"想要一个孩子"的话题，声音却一点点地弱了下去，就像一个泄了气的皮球，渐渐陷入沙发深处。看着面前被沮丧击倒的陆瑟，林嘉觉得他像极了一个等待奶水的婴儿。林嘉抬头看了一眼钟表，还不到12点，她忽然觉得自己简直是胜利了，无论如何，自己的男人还是和自己一起度过了纪念日。

"没关系，你忘了给我礼物，我却不会忘记给你礼物。"

白大褂滑落在地板上，里面是一套护士主题的情趣内衣，乳房被裹在粉红色的网纱之中，显得十分松软，黑色绸带扎在T裤上面，像一只求欢的小鸟。她光着脚向陆瑟走来，踩在玻璃碴上，发出咯吱咯吱的声音。

陆瑟想站起来阻止她，却根本没有力气起身，他此刻就像一摊泥巴。

"陆瑟你知道吗？七年是人们逃不掉的周期，我有太多的病人，在患病后的第七年死去。而爱情的寿命，也一样只有七年。第一个七年来临的时候，我们结婚了，现在又过了七年，痒，很痒，你挠一下，我挠一下，我们爱情的伤口下有的是一颗肿瘤……"

　　林嘉来到陆瑟的身边，轻轻地吻着陆瑟的额头，将一针管的透明液体从陆瑟的脖子上缓慢地推了进去。陆瑟眼皮一点点塌了下来，似乎是最后的力气，他将戴着婚戒的左手放在了胸口。

　　林嘉把手放在陆瑟的心口，苦笑着——这算不算是临终骗局？做着一个我心永恒的手势，心脏却已经不再跳动。

　　"Honey，不管你爱不爱我，这颗心都是我的。"

　　林嘉从身后拿出了手术刀，她要把这颗已不再跳动的心脏摘走。

　　可当林嘉解开陆瑟衬衣的一刻，她终于还是哭了。

　　眼泪落在陆瑟的胸口上，那里有一个新鲜的文身——

　　一只熊，下面写着"Ut Amem Et Foveam"。

　　厨房里飘出土豆牛腩烧煳了的味道。有时候，菜烧太老了，并不是一件好事。

7 上帝有块精工表

早晨 7：30。

闹钟将林嘉从睡梦中生生拽了出来。她一反手将闹钟按掉，塞到枕头深处，仿佛要将这个扰人清梦的铁家伙处以极刑。这个身材娇小的中国女孩，裹在白色的被子里，像一只卧在雪中的小鹿。

她已经连续一个月精神不佳了，每天的睡眠质量都差得不行，不停地做梦，梦见各种光怪陆离的硕大的蘑菇漂浮在一片闪着荧光的海洋中。

这一晚，她又一次梦到了海洋。

梦中的自己是一只水母，被洋流拖拽着向深不可测的海底下沉。从淡蓝色沉入更深的蓝，随即是蓝黑墨水一样的颜色，之后便被拖入一片漆黑，那是一种令人窒息的甚至已经超出颜色范畴的黑，更像是一种空间的概念。黑到尽头，四周突然一下光亮起来，像海底打开的洞穴，她被一种巨大的力瞬间吸入进去。

林嘉深深吸了一口气，弹坐起来，然后又重重地瘫靠在床头上。

她满头大汗，丝质的睡衣也被打湿，两个小小的乳尖若隐若现。

"你醒了？"

温柔的声音伴着香味一起扑面而来。

陆瑟穿着一件白色衬衫，散着 3 颗扣子，正在将早餐往餐桌上端。严格意义上，那并非只是一张餐桌，还是林嘉的化妆间以及陆瑟的工作室。这是一间 30 平方米的单间，这两位在纽约读书的中国学生所有的衣食起居都发生且只能发生在这个狭小的空间里。

"嗯，几点了？"

"7 点半，你还有一小时的时间洗漱吃饭。"陆瑟冲林嘉挑了挑眉毛，问道，"今天睡得如何？"

"糟透了。我又梦到了那奇怪的水面，伴着那种奇怪的声音。"

陆瑟放下盘子，里面放着两片烤面包。他走到床边，在林嘉额头上轻轻地落下一个吻。"没准你是一只鱼呢？瞧瞧你的黑眼圈，真是吓人。我觉得最好还是去看一下医生吧。"

"看医生太贵了。我们还得省下钱交下一次房租呢，你忘了吗？对了，你工作找得如何了？"林嘉一边起床，一边问道。

陆瑟耸耸肩膀，一副尴尬的表情。

"今天约了面试，祝我好运吧。"

　　"好运。"林嘉不太自信地祝福道。这是陆瑟这个月第 10 次面试了。

　　作为药物制剂专业的高才生，陆瑟每一次都信心满满地出门，然后晚上只能带回来一则失败的信息，以及若干则那些美国雇主以陆瑟那副中国式小眼睛为创作素材的种族歧视笑话。

　　林嘉的状况也好不到哪里去，她不得不每天这个时候起床，然后搭一个小时的地铁去一家叫作西塞尔的酒店值白班，做前台。

　　林嘉在电动牙刷上挤上牙膏，嘟嘟囔囔地说道："酒店里那些墨西哥懒虫和'白色炸弹'可从来都不用起这么早！所以，我们必须留下来。"从卫生间走出的林嘉，嘴角还有没擦干净的泡沫。她抱怨着走到餐桌前，掀起了汤锅的盖子。

　　"Shit，又是蘑菇汤！"

　　作为一名中医拥护者，陆瑟坚信蘑菇可以改善睡眠，并且坚持不懈地给林嘉炖了一个月的蘑菇汤。林嘉闻了闻，忽然觉得和梦里那些漂浮在荧光水面上的蘑菇有着相似的味道，隐隐有些作呕。

　　爱情是世上最有魔力的作料。陆瑟为她盛了一碗汤，用勺子舀起，放在嘴边吹了吹凉，温柔地递了过来，还做着一副"你快喝下去嘛"的讨好鬼脸。林嘉顿时觉得眼前的汤多少美味了一些。陆瑟盯着她喝完那碗汤，再次吻了她的额头，套上西装，拿起一份装有简历的文件夹，出门面试去了。

　　早晨 8：00。

　　手机铃声将苏克雷从沙发上吵醒。

　　这个蜷缩在一堆脏衣服里的墨西哥中年男人，终于受不了持续不断的铃声，稍稍翻了一个身，甚至连睡眼都没有睁开，只是伸出手在杂乱的茶几上摸来摸去。

　　拥有"懒虫"绰号的苏克雷，现在这个点儿绝对不该是他起床的时间。他每天的作息是晚上和朋友喝酒打牌到 12 点，等狐朋狗友四下散去后，便和衣睡倒在客厅中央那张已经几乎看不到表面的"沙发"上，一觉睡到自然醒，然后他只需要在中午 12 点左右到达工作的西塞尔酒店，像个游魂一样在酒店里晃来晃去。等到 6 点下班时间一到，这一天中他效率最高的时刻就到来了，他会以最快的速度完成交班，然后以最快的速度回到家里，继续约朋友们打牌喝酒。

　　他是西塞尔酒店的水管工，懒惰与健忘让他总是忘记去按时检修水箱系统，等到客人因为种种原因打来电话投诉给前台时，他才不情愿般迷迷糊糊地上天台检修，然后还要用西班牙语悄悄骂那些需要修理水龙头的客人。

唯一值得骄傲的是，他是这栋酒店里唯一的水管工，他称自己为"管道总监"，事实上，他唯一的特权无非是拥有天台上所有水箱的钥匙，除了他谁也打不开天台上的那些大铁盒。当然，全世界或许只有他自己会认为那是一种特权。

"哦，必须今天吗？"苏克雷眯着眼睛问道。

当得到肯定答案后，他撇了撇嘴巴，把手伸进脏兮兮的Polo衫里，揉了揉松弛的前胸，坐了起来。桌子上一片狼藉，打翻的啤酒浸泡着一叠黄色杂志，而没吃完的泡面里还丢着一只袜子。

"好吧好吧，我一小时内到就好了嘛。"苏克雷挂掉电话，觉得现在的客人真是难伺候，不就是停水而已，至于这么心急火燎地催着自己去修理管道吗？还好自己离公司也不算远，走路就能到。

"洗澡就那么重要吗，我还不是一周都没洗过了嘛！"苏克雷挂掉电话，将手举得高高的，闻了闻自己的腋下，又对着镜子抓了一把头发，暗自想着。

早晨 8:15。

有些时候，你不得不相信，上帝将人类涂上不同肤色的目的，就是为了更好地去偏心眼。距离西塞尔酒店 3 个路口的一个街区里，白人贝里克同样被一通电话吵醒，只是电话里带来的不全是坏消息。

体重高达 260 斤的贝里克是个脾气暴躁的胖子，这也是为什么他被酒店同事取了一个"白色炸弹"的绰号。当然你不能当着他的面叫出来，否则他一定会当你的面爆炸给你看。

贝里克在西塞尔酒店修理电梯，和那些有着黄色或者褐色皮肤的人相比，这工作简直要舒适到天上去。不用按时上班，可以随时下班，最重要每个月还有比墨西哥电梯工和中国前台高得多的薪水。

"感谢上帝。"他每次喝醉了都会这么解释。

他常常耳朵里塞着一副耳机，伴着老旧的乡村乐，泡在食堂里和厨师们说说笑话。你绝不能询问他手中的炸鸡翅从何而来，那只会令他暴跳如雷。好像他偷吃才是对的，而你任何的揭穿都是莫大的错误。

如果换作平时，八点一刻被吵醒的贝里克一定开始扯开嗓门在房间里对着电话大骂起来。然而此刻他却露出一抹狡黠的笑容。看来电话另一面的人无比了解他，在催他去检修电梯之前，首先告诉了他今天有一笔奖金要发。另外，希望他能快点儿赶到公司，最好在两个小时之内。

谁会跟钱过不去呢。两小时，800美金，贝里克乐颠颠地开始穿衣服。

他一心想着下班后拿着热乎的奖金，去公司附近的小酒吧喝一杯，又可以见到自己心仪的女酒保苏珊了。那个女孩是他暴脾气的唯一解药，即便苏珊从来没搭理过他，但他只要去到那个酒吧，就永远保持着绅士的风度，哪怕有一次被一个急匆匆的小个子黑鬼撞翻了手中的扎啤，新买的西裤裤裆上都洒满了泡泡，他也依然带着笑脸。

早晨8：20。

黑人汤姆已经将家里的抽屉翻得底朝天了。这个小个子，急匆匆地想从某一个角落里再找到哪怕一包的白色粉末。

昨天晚上几个朋友前来探望自己，他便拿出藏在沙发底下的"尖货"招待大家。

当朋友走后，毒品那 High 翻天的爽劲儿逐渐消失，他开始陷入极度的担心之中——昨晚嗨完了家里的全部存货，而现在，平日里负责给他送货的哥们，电话竟然一直处于关机状态。

还有什么会比这更糟糕吗？

12 个小时内，如果"吃不到下一餐"，那就意味着汤姆将会伴着毒瘾在房间里歇斯底里地做出一切疯狂的事情。而那个时候，警察将知道他吸毒的事实。更重要的是，汤姆无法离开这所房子。作为一名处于保释期的犯人，汤姆不得不 24 小时戴着定位监视器，活动范围仅限于住处的 100 米之内。

汤姆的罪名只是盗窃，他也并没有什么大野心，他唯一想做的就是偷一点儿可以用来买粉儿的钱，他也不知道他拿走的那套球星卡竟然价值 70 万美金。在律师的帮助下，他隐瞒了自己的吸毒史，因此获得了这段保释期。他唯一想做的就是继续隐瞒自己吸毒的事儿，安心度过保释期，然后重新开始自己的新生活。

被毒品折磨死，还是被警方重新丢进监狱。显然二者都不是汤姆想要的答案。

"他一定是想坐地起价。"汤姆焦虑地想着。

他拿起手机，想要再拨一个电话过去，而这个时候，手机竟然自己响了起来。

屏幕上显示出一串陌生的号码。

"我这儿有货。"一个低沉的声音从电话那头传了过来。

"你是？"汤姆问道。

"一个小时后，西塞尔酒店顶楼天台，一手交钱，一手交货。"电话再次断线，汤姆甚至都没来得及听出对方的口音。

汤姆脑子里迅速地开始了一道数学题。

每到整点手腕上的定位监视器会向警察局发送一次位置信息，从这里到西塞尔酒店走路大概需要 10 分钟，为了避开监视器而只能选择从步行楼梯爬上 20 层，从大堂到楼顶，这也要耗费大概 10 分钟。一来一回，加上机动时间，大约一小时。

汤姆看了一眼手表，现在时间是 8 点 30 分。

没人能够抵抗毒品的诱惑，哪怕他只有 60 分钟，也要去冒一个十五年刑期的险。

汤姆穿起外套。他决定半小时后出发。

早晨 9:00。

林嘉将饭盒从包里拿了出来，一股香气瞬间将前台笼罩起来。

正在和林嘉办理工作交接的日本姑娘眼睛顿时亮了起来，刚才还是满脸熬夜的疲惫，现在却已经开始用并不流利的英文夸赞起来了。

"又是男朋友做的好吃的吧？"日本姑娘一边说着，一边将林嘉的饭盒打开，里面盛着蘑菇比萨。她吞了下口水，从比萨上捏起一根蘑菇，塞进嘴里，美滋滋地说道："哇，好吃耶！你男朋友对你可真好，让人羡慕死了！"

林嘉的嘴角挑得老高，完全没有对刚才日本女孩没打招呼就抓比萨的举动感到不满，乐呵呵地应和着："咳，也就那样吧！"女人果然是世界上最虚伪的动物，嘴上说着"就那样吧"，可是却迟迟没把饭盒盖子盖上，恨不得让这里的女孩都闻到这是自己男朋友做给自己的"爱——心——便——当"。

日本姑娘交接完了手续，临走时还没忘再指一指林嘉的饭盒，竖了竖大拇指。

林嘉哼着小曲，新的一天工作又开始了。

在距离西塞尔酒店一公里的街道上，"白色炸弹"贝里克同样正哼着小曲，抖颤着他硕大的屁股，朝酒店走来。

在经过苏珊所在的小酒吧的时候，贝里克停下了脚步，趴在玻璃上，将脖子伸得老长，看着里面空荡荡的座椅。苏珊要到下午 4 点才会开始上班，而贝里克的相思可是从早晨 9 点就开始了。

贝里克的想象力信马由缰，想着 10 个小时后，美丽的苏珊正站在那个木质吧台的后面，依然穿着热辣的皮裙，你点一杯蓝宝石加冰，她便会揣着笑，从冰桶里夹出几颗冰块，丢进杯子里，发出叮嘟嘟的声响。而此刻贝里克脑海的画面更加热辣，他将苏珊压倒在吧台上，然后夹一粒冰块，从苏珊的脖颈丢下，融化的冰水像高山流下的雪水，顺着苏珊的乳沟淌进更为神秘的地方……

"哥们，看什么呢？"忽然一只大手拍在了贝里克的肩膀上，这一拍力气不小，令他胸前的肥肉连续地抖颤着。

贝里克从苏珊的乳沟中拔过神来，看到面前站着那个并不令自己喜欢的墨西哥水管工。

"哟，小懒虫，今天怎么舍得离开妈妈的怀抱，起得这么早啊？"贝里克的招呼并不友善。

"唉，紧急召唤呗，公司的水箱又出了问题。你该不会也去公司吧？修电梯去？"

"呸！修什么电梯，我跟你可不一样，我去公司可有大事儿要干，大钱要拿的！你要是不懂，也没什么大不了的，毕竟墨西哥边境线上可没写着如何发财致富！"贝里克哈哈大笑着，将耳机塞进耳朵里，屁颠颠地往前走去。

苏克雷耸了耸肩膀，并没有打算去和一枚炸弹打嘴仗，只是跟着贝里克的影子朝前走去，就当遮阳了吧。

早晨 9:10。

如果法律允许的话，将毒品更名为"驱动药水"销售，一定可以有效治愈拖延症，并大大提高工作效率。汤姆看了一眼手表，9点 10 分。从 9 点 3 分跟警察报完位置，到他现在站在西塞尔酒店的大堂前面，只用了 7 分钟。他想快点弄到白粉儿，给自己做一顿丰盛的"饭"。

他压低了帽檐，朝大堂里走了进去，唯恐引起别人的注意。这其实是一种心理上的担心，就好比意欲偷窃的人，就算拿了厚厚一沓报纸作为遮掩，还是会觉得全世界的眼睛都在看着自己。曾有社会学家做过实验，在一次盛大的家庭聚会里，他悄悄地藏在衣柜里，试图让大家以为他失踪了而焦急，然而实验结果是，等到他饿得不行从衣柜里走出来的时候，才发现聚会早已结束，所有人都没有注意到他的消失，也根本没有一个人意识到他再次存在。

人类，总是酷爱高估自己的重要性。

其实他全然不必担心这些。老实说，汤姆和大多数黑人都不一样。他矮小、细瘦、胆小，还极度缺乏节奏感。他走在路上就和其余的路人绝无区别，很难有理由让人注意到他。在经典的种族歧视笑话里，上帝搞糟了黑人的头发，便赐予了他们节奏感、爆发力和超强的床上功夫。显然上帝只给了汤姆一副白色的手掌，而他却选择用白色的手掌来吸白色的粉末儿。

林嘉沮丧地接到 2012 房间的电话，说是昨天的前台给他办理入住手续时出了严重的错误，必须现在来给他解释清楚。林嘉不明白究竟是多么大的错误，才会坚决不找大堂经理，而是点名道姓地要求那个"亚洲前台"上楼解决。

"这个日本姑娘，还真是个麻烦姑娘。"林嘉想着，还好自己也有一张亚洲面孔，于是便只好决定上楼去给日本姑娘收拾烂摊子。

"今天真是开门不利。"林嘉朝电梯走去，脑袋嗡嗡地响着，或许是最近没睡好的缘故，常常会在白天工作时出现幻觉。她前天曾把入住客人递过来的会员卡看成一条硬邦邦的滴着血的带鱼，还曾觉得电梯间就像一只张开大口的硕大贝壳。"这些天的梦真的要把自己折磨死了。"林嘉挠了挠头皮。

林嘉觉得自己再一次看到了幻觉。她看到一条黑色的大鱼在电梯口和楼梯口的中间慢慢地蠕动，她禁不住大叫一声。

汤姆在快要走到楼梯口的时候，忽然被背后的一声尖叫吓了一跳。

一个亚洲女孩捂着嘴巴，瞪大了眼睛，看着他，好像在看一只野兽。他觉得女孩一定是认出自己来了，毕竟当时自己这个偷窃案上了当地电视台脱口秀节目，在一期"笨贼连连看"的专题里，和一个强奸了一头母牛的罪犯、一个作案后卡在了烟囱的笨蛋并列在在了一起。

这恐怕是汤姆最大胆的一次了。他冲那个亚洲女孩做了一个捂嘴和抹脖子的手势，然后迅速地跑进了楼道里。

他必须拿到毒品，这是他现在脑子里唯一的想法。

林嘉惊讶地看着眼前的黑色大鱼消失了，而且在消失之前还用鳍做了一个威胁自己的动作。她四下张望着，企图证明自己还在正常的世界里。而此时，墨西哥懒虫和白色炸弹正慢悠悠地朝电梯走来。

"算了，还是不要和他们讲了。"林嘉努力让自己镇定下来，面朝电梯。

"老远就听见你咋咋呼呼，发生什么了？又看见大蘑菇了？"贝里克嚼着口香糖，模仿着中式口音调侃道。日光下面无秘密，看来日本姑娘这碎嘴子，早就把林嘉幻觉的事讲给别的同事听了。

"也难得看到你勤快一次嘛，估计又来勤勤恳恳修电梯了吧？"林嘉还了一嘴。

"人家可是来干大事的！"苏克雷阴阳怪气地补了一句。

"哼，你们这些带颜色的家伙，祝你们早日拿到绿卡，或者被塞进集装箱，早日滚回你们的国家吧。"贝里克吹了个充满不屑的口哨，拍了拍苏克雷的肩膀，"哦，对了，你不用钻集装箱，躲进卡车篷里就可以了，哈哈哈。"

电梯门开了，林嘉和苏克雷径直走了进去。在电梯门关闭的一瞬间，贝里克站在门外还恶狠狠地指了指林嘉的鼻子，"小心待会儿把你关进电梯里哦"。

"他总是这样粗暴，你上楼干吗？"

"有个客人房间有点儿事情，你呢？"

"水箱出问题了，上楼顶查查呗。"

林嘉和苏克雷互相客气地笑了笑，便再无别的好说了。电梯就这样沉默地升到了 20 层，电梯门沉默地打开。

"工作愉快，管道总监。"

"你也一样，美丽的中国女孩。"

林嘉出门向左，朝客房走去。而苏克雷则出门向右，朝天台走去。

早晨 9:25。

汤姆第一次登上西塞尔酒店的楼顶。

楼顶上是空旷的平台，像直升机的停机坪。只有几根两米多高的圆柱形硕大水箱立在楼道入口的一侧，像守卫天空的卫士。沿着水箱边缘，则看到蔚蓝的天空、白云、飞鸟，以及别的高大的直耸云顶的现代建筑。

这家酒店的生意要是有楼顶的风景一半好，就谢天谢地了。

汤姆可没有心情看什么风景。他在楼顶上焦急地走来走去，不住地看表。那个神秘的白粉客到现在还没有出现，自己最多只有不到 20 分钟的时间来等待他，等待自己翘首以盼的白色美味。拿到毒品之后，自己必须以最快的速度赶回家里，等待 10 点整向警方报告位置。

这时，楼道里传来了脚步声。机警的汤姆藏在一座水箱后面，他要先看看到底是谁。万一不是电话里的神秘人，而是来了一票警察，恐怕绝对不是什么好玩的事情。

楼道里走出一个脏兮兮的墨西哥人，叼着一根香烟，提着一个皮箱。

"现在的墨西哥人也不是那么懒嘛，都开始跑出来送货了嘛！"汤姆嘴角露出了满意的笑容，然后从口袋里摸出手机，拨打早晨打来的陌生号码。

电话一直没人接听。

汤姆觉得有点儿不对劲儿，便紧张地朝后面的缝隙里又躲了一躲。

苏克雷来到楼顶，点燃一根香烟，然后竟然径直朝水箱走了过去。他从屁股后面摸出一串钥匙，便提着皮箱朝水箱上爬了上去。蹲在水箱顶上，理了理铁锁上的鸟屎，将钥匙插了进去，咔嗒一声，锁便弹开了。

　　苏克雷将嘴上的烟头吐了出去，开心地将水箱盖子敞开。水箱里的水倒映出苏克雷的脸庞。"管道总监。"苏克雷自言自语地说道。只有他打得开水箱的盖子，还有什么能比这更让人骄傲的。

　　苏克雷几秒钟就看到了下水管道里不知道为什么被一团布条塞住了。他从箱子里面拿出一个铁钩将那个布条迅速地钩了上来，泛起一些沉渣。应该没什么问题了，但按照流程他需要回到楼下测一下水压，然后填个表格，再上到楼顶关上盖子就可以下班了。

　　他从水箱梯子上爬了下来，转身朝楼下走去。

　　"操！"这人显然不是要给自己送货的哥们儿。汤姆看着墨西哥人离开的背影，拍了拍帽子上的烟灰。看了一眼手表，他显然急躁起来，他又一次从口袋里拿出手机。

　　他必须打给那个神秘人。

　　林嘉一个人走在顶层的客房区，脑子里像蹲着一个小猴，正在使劲儿地想把她的头一掰两瓣儿。她不得不走两步看一眼门上的房间号，数字甚至都开始重影了。

2008，2010，2012······

林嘉走到了 2012 号房间的门口，轻轻地敲了一下门。

房间里一片寂静，走廊里也一片寂静。

"你好，请问有人吗？"林嘉问了一声。

没有回答，只有浅浅的回声。

林嘉从口袋里掏出房卡，打算刷卡进入。忽然房间里传来了声音，那是她再熟悉不过的声音了。这一个月里，她频繁地在梦里听到这段奇怪的声音，先是水滴一滴滴打在石头上的声音，然后忽然一声刀片划过玻璃的声音，然后就是嘈杂的海浪声。这些声音像是从一个幽闭的空间里发出的，而林嘉则像被声音锁住了，只能任由这种噪声拖着她向下沉去。

声音忽然停止了。

"操！"又没人接听，汤姆恨不得将屏幕上有着陌生号码的手机从西塞尔酒店的楼顶远远地丢出去。没有毒品，他觉得自己简直要被气炸了。他看了一眼手表，深呼吸，又一次按下了重拨键。

林嘉头上布满了汗珠，她看了看眼前，还是 2012 号房间的大门。

"难道是幻觉？"林嘉鬼使神差地刷了门卡，她进入了那个房间，"果然是幻觉。"房间和所有的标准间毫无差异，唯一的区别是这间房间里所有的陈设都规规矩矩地放在原位，像从来没人住进来过。

忽然，那奇怪的声音再次响了起来，比上一次更显大声，海浪声迅速地包围了林嘉。林嘉听到声音从卫生间里传了出来，有一种神秘的力量促使她一点点挪向卫生间，推开卫生间的房门。

那里面飘满了巨大的光怪陆离的蘑菇，一片荧光。林嘉感觉马桶就像一个旋涡，要把自己拖拽进去。林嘉死死地抓住门把手，试图对抗这种力，然而就像梦里一样，她无能为力。

林嘉觉得楼道和墙壁都顿时消失了，变成了一片荧光的海洋。她低头看一眼自己，腿和手臂都不见了，身体也正在消失，她再次变成了一只水母，她拼命地想往有人的地方游去。她往左往右都无法游去，都会撞到坚硬的礁石，她此刻沿着一条黑暗的通道，朝唯一的方向游去。

她要被马桶吞噬了，直到声音再次戛然而止。

"操！一定是被人恶作剧了！"汤姆将手机重重地挂掉。

他看了一眼手表，时间已过去一半。他依依不舍地再次环顾了一下楼顶，确定根本没人来给自己送毒品后，他不得不放弃对白色粉末的渴望，往楼下赶去。

早晨 9:35。

苏克雷测完水压，一切 OK，他吹着口哨来到了一楼电梯。

他按下上行按键，等了几十秒，却发现根本没有动静，这时他才注意到电梯上的显示屏早已经黑掉了。

"你还是走楼梯吧，懒虫。"

贝里克作为一枚炸弹，就猛在敢于直接将电梯的闸门一下关掉。他才不管有哪个客人想要上楼下楼怎么办，他只关心今天厨房里有什么好吃的。他一边吃着刚从厨房顺来的鸡肉，一边朝苏克雷走去。

他其实只需要走回去，将闸门再次打开，就万事大吉了。这是他师父教给他的秘诀，遇到问题最好的秘诀是重启，他曾经用这个方法解决了无数的电梯故障。而现在，他需要做的，只是坐等下班，拿奖金，然后去和苏珊"约会"。在坐等下班之前，他还要调戏一下面前这个墨西哥人。

"真的没办法，今天酒店里所有的电梯都坏掉了，你要想上楼，只能爬上去了。20 层哦，不过你这小身板，可真有你受的了。"贝里克用手中的鸡翅指了指旁边的楼道，努了努油腻的嘴巴。

苏克雷白了他一眼，只得往楼道走去。

恐慌的林嘉陷入了更深的恐慌。她像一只水母一样，沿着客房部那条深邃的海底走廊一直往前坠去，直到她看见了电梯。电梯门敞开着，而电梯恰恰就停留在她所在的 20 层。这台四周都是金属的盒子，顿时有了工业文明般的象征，证明了林嘉还身在西塞尔酒店，而非幻觉之中。

就像漂浮在大海中的遇难者看到一艘巨轮一样，林嘉以近乎求生的本能快步地跑进了电梯里。她躲在电梯的一角，快速地按下了一楼的按键，此刻她多么希望电梯沉下去，从而让自己浮出那一片荧光的深海。

电梯并没有如她所愿开始下降，甚至连一丝动静都没有。林嘉甚至开始怀疑会不会有什么神奇的水草在电梯外面缠绕住了按键，她飞快地将头伸了出去，外面什么东西也没有。她再次回到电梯里，可是电梯依然没有动静，她悄悄地挪到电梯的门边，试图去看周围的环境，依然是一片荧光，甚至开始有蘑菇从周围飘了起来。

她在电梯里等了几十秒钟，终于再次按捺不住内心的巨大恐惧。

她再一次移出了电梯，或者说这艘可以拯救自己的巨大汽轮，而这一次她的确看到了些什么。

那条 20 分钟前她曾见过的黑色的大鱼，再一次来到了她的面前。这一次，那条黑色的大鱼不仅伸出了黑色的鳍，而且离她越来越近，甚至张开了血盆大口，不停地往外吐着泡泡。她恐惧地蹦回到电梯里，飞快地将所有的按键都按了一遍，她此刻只想离开 20 层，不管去到哪里。她甚至觉得此刻就算电梯一下坠到底楼，自己摔得血肉模糊，都比现在这样被困于深海要好得太多。

电梯依然没有动静。

死定了。林嘉此刻唯一的想法。

但我不能死，陆瑟那么爱我，我必须游回他的身边。

林嘉游出电梯，拼命地摇摆着自己的触手，但面前那条巨大的黑鱼还在自己的旁边看着，似乎想等游累的时候再一口吞下自己。它为什么要吃一只水母呢，水母里 95% 都是水分，而剩下的也无非是一些蛋白质和脂质。林嘉拼命地掰着自己的触手，想让自己游得更快一些，逃离这条凶残的黑鱼。

汤姆来到 20 层的电梯处，又一次看到了 20 分钟前在楼下尖叫的那个女孩，她就站在开着的电梯门里，盯着自己。汤姆不知道自己究竟哪里惹到她了，能让她一直追到 20 层来，于是便冲她皱了皱眉头。

汤姆没想把她怎么样，刚才抹脖子的威胁手语已经是他能做出的最残忍的事儿了。他也没想到，此刻面前的姑娘竟突然开始像水母一样挥舞起手掌来，汤姆吓了一跳，问她是否需要什么帮助。他一张口，女孩更是加快了频率，甚至将手指不停地翻折，那角度远远超出了正常人的状态。"你没事儿吧？"汤姆害怕她把手指掰折了，便朝前走了几步。而此时的女孩忽然离开了电梯，朝远处跑去。汤姆摇了摇头，今天真是怪事一箩筐。他走进电梯，按下一层的按键，电梯"叮"的响了一声，便开始下降了。

早晨 10:00。

贝里克重新启动了电梯，他只需要等到电梯下来，坐进去，跟着电梯上到 12 楼，再下来，发现没有故障，就万事大吉了。他吃完鸡翅，将满手的油在墙壁上擦来擦去，等着电梯的下行。电梯门打开，里面竟然站着一个压低了帽檐的瘦小黑人，他还没来得及骂骂咧咧，那家伙就一溜烟地便从他眼皮底下溜走了。看着那个很屌的背影，忽然觉得像极了上一次在苏珊酒吧撞翻了自己扎啤的小黑鬼。

"早知道就打爆他的眼球了！操！"贝里克骂着，走进电梯。

如果还能游得更快就好了，林嘉顺着走廊向楼顶游去。从楼道口走出天台的一刻，她觉得她离浮出水面不远了，因为她能感觉到海的那种蓝色越来越浅，甚至开始听得到海鸥的叫声。

她忽然看到两只巨大的蘑菇悬浮在海洋之中。

每一次在梦境里，她都能看到无数巨大的蘑菇，而她从未想过攀登上去，但此刻她想那只黑色的大鱼就算追了上来，也一定爬不上这只巨大的蘑菇，又或许爬到那朵蘑菇上就能够浮出海面。

林嘉用触手紧紧地缠住蘑菇上的枝芽，往上爬去。在蘑菇的顶部，林嘉忽然看到一个洞穴，林嘉伸长了脖子，想去看看那个洞穴里究竟有什么，然后就忽然感觉洞穴将她吸了进去。她一头扎入了一种汁液当中，像水的味道，但是又有几分陆瑟为她熬制的爱心蘑菇汤的味道。

她此刻万分地想念陆瑟，不知道此刻的陆瑟面试如何。

她此刻开始认为这是一个和往常一样的梦境，只等陆瑟来把她叫醒，递上一碗好喝的蘑菇汤。

忽然她听到外面传来了脚步声，确切地说是黑鱼游来的声音，她快速地往蘑菇的深处藏去，紧紧地抓住蘑菇最深处的一根救命稻草，屏住了呼吸。只要黑色的大鱼没有发现自己，她就可以不在梦境中死去，耐心等着陆瑟来把自己叫醒。

苏克雷叼着烟卷，将水箱的盖子死死地盖紧，从屁股后面摸出钥匙，插进钥匙之中，扭转 90 度，咔嚓，锁上了。自己作为"管道总监"才拥有的无上权力终于行使完毕。

大风将他嘴上的烟气吹得四散，像一支来自遥远中国的道教香火，他看过 CBS 一档节目讲的遥远东方的故事，特别神秘。如果自己会东方功夫，现在一定要在这水箱顶上打一套太极。此刻他觉得自己就像那个节目里讲的炼丹的太上老君，只不过太上老君的炉子里是火，而自己的仙炉里则是水。在他爬下水箱的时候，甚至隐约听到了香炉里还有咕噜咕噜的炼丹声。

三周后，正午 12:00。

上帝给了人类漫长的一生，就是为了让人们过好每一天。

显然苏克雷辜负了上帝的期望，他继续着每天懒惰的生活。6点下班，约朋友打牌喝酒，然后一觉睡到自然醒，继续散漫地上班偷懒，下班喝酒。他的每一天都和往常绝无区别，比如此刻，他依然是从脏衣服堆积如山的沙发上睁开双眼，将盛有臭袜子的比萨盒子丢进已经满满的垃圾桶上，然后打开电视，任由电视里的播音员讲着琐碎无聊的国际时事。

上帝给了人们一周七天，绝对不是为了让人们意识到每一天有多难消磨。

在过去的三周时间里，贝里克迅速地忘记了那天加班后却发现完全没有奖金而大闹公司被开除的糟心事儿，更难以释怀的部分却来自苏珊。那天，本打算下班后去小酒吧酩酊大醉，兴许还能借着酒精和苏珊有段热辣性事，却意外地在洗手间门缝里撞见苏珊正在和酒吧老板做爱。老板的个子比贝里克高大，肌肉比贝里克结实，肤色比贝里克健康。三战皆负，这令他无地自容。更重要的是，老板也是一个白人，颜色上贝里克也根本毫无优势。趴在洗手间的门板上，听着苏珊一波接一波的呻吟，贝里克发誓，自己绝对再也不来这家酒吧了。

上帝给了人们一天 24 个小时，就是为了告诉人们要耐心地对待哪怕最后一秒。

在三周前那惊心动魄的一小时里，汤姆经历了各种糟糕的情况，但还是赶在 10 点之前回到了家中。警察没有发现任何不对的地方，而他也终于在时钟即将敲响 12 点、毒瘾几近发作的时候，听到了敲窗户的声音。哥们儿送来了一大包白色粉末，重新拯救了这个黑小伙的灵魂。他补充完营养，在房间里激动地听起了饶舌歌曲，其实就算自己是个套进宽松 T 恤和垮裤里就找不着的矮个子，就算自己毫无节奏感，但依然有权利享受 Hip-Hop 和录音机，这些都是上帝专门赐予黑人的礼物。

上帝发明了人，旨在提醒大家，人是最想念不起的东西。

失踪了三周的林嘉，也被同事们轮番忘记，再也不像她失踪第一天那样被热议。那时候，就连她留在桌上的那盒蘑菇比萨，都成了大家变身大侦探福尔摩斯的道具。人们纷纷揣测她消失在了哪里，而电梯里摄像头拍下的诡异画面，也让大家一度怀疑这个来自遥远中国的女孩是不是像那些东方灵异故事里讲的那样，中了神秘的蛊。

还好上帝还发明了电视，除了看低俗的娱乐节目之外，它还负责提醒你重新记起那些旧消息。

　　"之前被热议的华裔女孩林嘉电梯离奇失踪案件今日有新的进展，一名流浪汉在西塞尔酒店的顶楼水塔发现了她的尸体，令人费解的是，林嘉的尸体竟全身赤裸，头部向下，沉在水箱底部，而她的衣物则漂浮在水箱里。目前警方正在进一步的调查当中，死因仍难确定。"

　　此刻的苏克雷在他那堆脏衣服里瞪大了双眼。电梯、视频、按钮，他脑海里顿时浮现出林嘉失踪那天怪异的贝里克，还有他说了不止一遍的"我今天可是来干大事儿的"。而在那天之后，贝里克就那样被酒店开除了。苏克雷快速地在茶几上找着自己的手机，他必须第一时间打给警察局。

　　此刻的汤姆刚刚抽完一剂白粉，兴奋地调着频道，却忽然被眼前的新闻震住了。西塞尔酒店、水箱、赤裸，他忽然想起了那个脏兮兮的墨西哥人。"哦，天哪！他们这些墨西哥人竟然连这种事情都做得出来！"汤姆觉得自己减刑的机会到了，他拿起电话，拨打911，却在铃声响起的一瞬间将电话挂掉。对，自己根本就不该看见这些，当时不该是只能出现在自己家的100米之内吗？他拿起电话，换了一个号码打了过去，那是他的律师，他必须先问问到底能不能减刑。

此刻的贝里克正在喝着一杯哥顿金，电视里传来这则新闻的时候，他惊呆了。看着画面里打了马赛克的臃肿尸体，他忽然想起那天匆匆跑出电梯的低帽檐黑鬼。"这个浑蛋，竟然能做出这样的事情。"贝里克仔细想想，忽然开始怀疑那天那个奖金电话没准也是这个黑鬼打的，他翻出手机，找到那个陌生的号码，拨了出去。

此刻的陆瑟挂掉桌子上的电话，专心地写着最后一篇实验论文，关于从迷幻蘑菇中提取裸盖菇碱以及该化合物如何提升人类性格开放性的研究。

他似乎已经从失去女友的痛苦中走了出来，表情专注。

8 　　烟花

　　"来，让我看看你一口能装下几个？"林嘉眯着眼睛，抓起第一块三文鱼寿司。

　　陆瑟张大了嘴巴。他有一张大嘴巴，厚嘴唇，乱胡楂，总是像要噘到天上去。陆瑟张开嘴巴就露出一口东倒西歪的牙齿，林嘉像往常一样摇摇头，笑着说："Too bad，你的牙齿里是刚刚刮过一场龙卷风吗？"龙卷风从来都不是什么好词汇，虽然它可以帮助奥巴马连任，但你想想周杰伦的老歌吧，"爱像一阵风，吹完它就走，这样的节奏，谁都无可奈何"。归根结底，龙卷风太快了。来得快，去得也快，像爱情一样。陆瑟嘴里塞进了第四块寿司，夸张地咀嚼着，发出酷似植物大战僵尸的游戏声音，"唔嗯唔嗯唔嗯，吧唧吧唧吧唧"，林嘉像往常一样被逗得前仰后合。林嘉知道，眼前的这个男人，愿意做一切逗自己开心的事情。陆瑟光着屁股洗草莓，冲到冰激凌店里执意要买广告牌上碗口大的甜筒，站在毛主席像下面问武警战士"你好，请问天安门怎么走"。每一次林嘉都被逗得哈哈大笑，谁的爱情不是幼稚可笑的呢？可恰是这些芝麻绿豆般的琐事，构成了人类最神圣最严肃的主要情感。桌上只剩下一块寿司了。"把它吃掉。"林嘉呷了一口麒麟啤酒，慢慢悠悠地说道。"快到我碗里来。"陆瑟嚼完了口中的残余，贱兮兮地应和着。林嘉用筷子夹起最后一块寿司，伸向陆瑟的嘴巴，陆瑟把盘起的腿放下来，跪在榻榻米上去迎接面前的寿司，食物快到嘴边的时候，林嘉把筷子收了回来，举得老高，在空中挥来挥去。"快到我碗里来，快到我碗里来。"陆瑟把舌头伸长了，支支吾吾地说。林嘉玩兴正浓，索性站了起来。这块被夹得变了形的寿司，在空中划来划去，像一颗流星。"你才到碗里去。你才到碗里去。你才到碗里去……"林嘉把手举得老高，像举着荧光棒在看一场偶像的演唱会，她面色潮红，脸上挂满了刚吃掉一把彩虹糖的小朋友才会带有的满足。林嘉和陆瑟像两个孩子一样，在榻榻米上为了一个寿司游戏躲来躲去。林嘉一句句地重复着："吃不到，吃不到，吃不到，就是吃不到……""吃不到"的确是一件很好玩的事情——爱情有时也是这样，刚遇到的时候充斥着这种吃不到的快乐，两个人都像头顶上吊着胡萝卜的毛驴，即使每日转圈，也全是满足。谁也没有闲暇去留意这种满足始终是蒙着眼睛的。寿司掉了，落在桌子上。像一个从18楼掉下来的自寻短见者，发出一声闷响。啪，就那么一声。三文鱼片跌了下来，饭团裂开一道口子。林嘉举着空空如也的筷子，陆瑟伸着干燥的舌头，忽然停了下来。面面相觑，像电影忽然缓冲，卡在静止的一帧。"还吃吗？"陆瑟问道。"算了，脏掉了。还想吃的话，我们再要一份。""噢，不用了。"吃不到，吃到了，吃饱了，吃腻了，爱情就该是这样的吗？陆瑟第一个坐了下来，盯着那块寿司的尸体，怅然若失。林嘉也跟着坐了下来，看着对面的陆瑟额头在开足暖气的房间里开始泛出汗滴。"把外套脱了吧。""病还没好利落呢，算了。"早晨刚退了烧的陆瑟穿着鼓鼓囊囊的羽绒服，和桌上刚换的那团热毛巾有几分相像。"接下来我们干吗呢？""去看烟花吧。"陆瑟牵着林嘉的手，走出这家日料，走进一片雪地。林嘉不安分的脚步在雪上跳来跳去，发出咯吱咯吱的声音，反正有陆瑟牵着，她从来不怕摔倒。这将是他们恋爱以来第一次看烟花，也是最后一次。他们在夏天遇到彼此，然后决定在跨年的这一天分手，哦，对了，按林嘉的说法，是和平分手。他们也不是不再爱彼此，而是无法为这份爱找一个安放的地方。这种说法或许略显文艺了，反正就是逐渐找不到新鲜感了，总吃同样几家餐厅，总去同样一家影院，总是同一种睡姿，甚至连做爱都是那么几个体位。

陆瑟也试着在圣诞节带着林嘉跑到清迈，在热带气候的酒店里试了从 A 片里学来的 exotic style，但第二天醒来，彼此抱着，总觉得依然欠了点儿什么。那个早晨，在异国他乡，林嘉吻了吻陆瑟的额头说，我们和平分手吧。

　　可是什么样的分手才算得上和平呢？只要是分手，就不该是和平的吧，这根本就是个悖论吧？陆瑟曾对这个问题百思不得其解。鸽子不是象征和平吗，那就干脆学吴宇森的电影，放一片鸽子，然后在从天而降的鸽子粪里对彼此说一句"Goodbye, bitch"？或者是跑到外滩 20 号和平饭店里开间房，假想这是发哥的那栋和平饭店，在分手的时候温柔地说："一个人分了一次手，他是杀人犯，是坏人。当他分了成千上万次手后，他是大英雄，是好人？"这些电影里得来的方法似乎都不那么熨帖，爱情是抽象的，电影和爱情相比，绝对是具象的。拿具象的解决方案去解决抽象问题，终归是无解的。这或许正是化学专业出身的理工科高才生陆瑟面对爱情始终无法游刃有余的根本原因吧。"你确定这里会有烟花放吗？"林嘉站在一栋公寓楼顶，望着寂寥的冬日夜空，冻得哆哆嗦嗦。陆瑟低头看了一眼表，距离 2013 年还有 3 分钟。他点了点头。"你闭上眼睛，等候 3 分钟。我去给你准备烟花。"林嘉点了点头，心里想，其实或许陆瑟也没有自己想得那么不浪漫。不得不说这是一栋足够大的公寓楼，陆瑟从林嘉身边走到楼顶的另外一侧，用了足足两分半钟。"林嘉……睁开眼睛……倒数 10 秒吧……"陆瑟的声音从足够远的空中传来。"10！9！8！7！……"林嘉倒数着睁开眼睛，看到距离自己足够远的陆瑟缓慢地敞开了自己的羽绒服。"6！5！4！3！2！……"陆瑟和她一起倒数起来，手中火光一闪，"1！"漫天的棉絮、火星、残肢从陆瑟的身体里爆破开了，径直飞到 3 米高的位置，从天而降，变成一朵小型的烟花。点燃这朵烟花的打火机，是林嘉在清迈的时候送给陆瑟的，上面写着 Peace。从那个时候开始，陆瑟就已经想到了这个和平分手的方式。

9　　香水

早晨醒来的方式有很多种，最可怕的是被贱女人吵醒。

林嘉翻了个身，迷迷糊糊抓起了床头柜上的手机，屏幕上闪着刺眼的光。骚女人来电。

"喂，王姐。"

"喂，嘉嘉啊，你今天没感冒吧？没感冒就好，准备好鼻子，人家今天可是超级香哦，老赵又给我买了一瓶祖马龙……哎呀，我也不想要啦，上次买的珂洛艾伊还没开封呢……你也知道，老赵就是喜欢给我买东西，让你家小陆也给你买一瓶嘛……好啦好啦，不说啦，赶紧来上班吧……我挂了哦。"

林嘉总共就说了三个字，电话就挂掉了，睡意尽失的林嘉眯着眼看了看闹钟，北京时间7点整。

"真是——骚！"林嘉嘟囔着爬起床来，朝卫生间走去。

"谁大清早打电话啊？"陆瑟拿枕头蒙着头，发出不满的质问。

"还能是谁，骚屄王呗，又不知道在哪儿睡了个乡镇企业家，天天就爱显！"

话音落下，电动牙刷嗡嗡嗡的声音就响了起来，林嘉穿着一件大T恤，站在卫生间的门口，一手叉腰，一手举起牙刷："嗡嗡嗡嗡……话说回来……嗡嗡嗡嗡……人家乡镇企业家还有……嗡嗡嗡嗡……给女朋友买香水的觉悟呢……嗡嗡嗡嗡……你个瓜娃子连我生日都给忘了……嗡嗡嗡嗡！”

陆瑟没有接茬儿，呼噜声很快盖过了林嘉的刷牙声。林嘉摇了摇头，回到卫生间里，漱口、照镜，洗手池的镜子上布满了水渍，镜中的林嘉就像一个长了一脸雀斑的欧美少女。林嘉放牙刷的时候手一滑，牙刷掉在了洗手台上，击中了一瓶洗面奶，然后各种瓶瓶罐罐就像多米诺骨牌一样倒下了。

一片狼藉。

林嘉一直想要一个大的洗手台，可以放很多很多化妆品的那种。她曾不止一次跟陆瑟抱怨过浴室就是女人的教堂，可是陆瑟总是在胸前画一个十字，然后愁眉苦脸地抱怨说：“宝贝，谁不想要大教堂！可是想想房租吧，来，跟我一起向上帝祷告：我要一所房子，面朝地铁，房租不涨，押一付三……”

好姑娘在某种程度上就是傻姑娘的同义词——陆瑟一逗乐，林嘉也就不提大浴室的事儿了。林嘉总说自己嫁鸡随鸡嫁狗随狗，嫁个北漂等于嫁个吉普赛人。上周房东儿子要结婚，于是林嘉和陆瑟只好大迁徙，暂时搬到了现在这个位于西四环的筒子楼里。屋子里装修得还不错，但是从楼道到电梯再到外观，破旧得仿佛出土文物。

林嘉给了熟睡的陆瑟一个吻，便推开了房门去上班，她总是要比陆瑟起得早。陆瑟是个撰稿人，每晚都会写稿到很晚，常常因为赶稿而没时间和林嘉做爱。反正男朋友是个不浪漫的人，但是个好好过日子的人就好了呗。

林嘉总是这么安慰自己。

北京刚停掉暖气，可是天气却还没有热起来。林嘉走进楼道便打了个寒战，她紧了紧领子，咳嗽了一声，昏暗的声控灯亮了起来，忽明忽暗地闪烁着，完全一副不情不愿工作的样子。林嘉按下了电梯，吱呀吱呀的声音从楼层上方传出，仿佛电梯井里还有个人在打水，破旧的青绿色的电梯门打开，林嘉走了进去。

电梯在13楼停了下来，林嘉下意识地看了一眼手表，但愿不要迟到。电梯门打开的时候，一股浓烈而刺鼻的廉价香水味却先涌了进来，还带着一种旧木头的味道。紧接着走进来一个穿着青翠色旗袍的中年女人，戴着一副黑色墨镜。林嘉下意识地在鼻子前面扇了扇风，然后又觉得不妥，赶紧把手放了下来。女人仿佛注意到了这些，便把脸背了过去，仿佛这样就可以减少气味的散发。

现在的中年女人总是这样，到了优雅的年纪，心里总想着古典美，可却总是学个表面。穿旗袍就是中国风了吗？腰部赘肉管都不管！木头味的香水就是典雅了吗？拿起香水就按着泡沫灭火器的量往身上喷个三斤！无论如何，你和电梯撞衫了。林嘉屏住呼吸，心里暗笑道。

终于到了一楼，林嘉迫不及待地走出电梯，往前慢跑着离去，想把这呛鼻的味道给甩到身后。也不知道是心理作用还是刚才吸了太多，走了好远，林嘉鼻子里环绕不去的还都是刚才那个死女人的香水味，林嘉下意识往后看了一眼，那个女人早已经被甩在身后消失不见了。林嘉顿时觉得空气清新多了。

林嘉远远就看到公交车即将进站，站台上只有一个提着鼓囊囊的蛇皮袋的老太太等着上车，于是她一路小跑，赶在车门关闭前一秒冲了上去。车里密密麻麻站满了人，全都是一副瞌睡相，惹得林嘉都要困了，她站在前门，想掏出书来看，可是根本没有空间。林嘉忽然想起前几天在微博上看到一个网友说"给地铁公交上看书的女孩自动加 10 分"，心想那人真是没坐过早高峰时的公交车，尽发些扯淡的无聊微博。

　　隐约之间，林嘉又闻到了一股刺鼻的香水味。"今天真是祸不单行，骚女人的电话预告了今天的基调就是被香水熏死吗？"林嘉一边在心里嘀咕，一边转过身去。刚才电梯里的那个旗袍女竟然就站在她的身后，依然戴着黑漆漆的墨镜。

　　林嘉忽然感到一种强烈的诡异感。刚才明明自己走在旗袍女的前面啊，她是什么时候上车的呢？林嘉记得房东签合同的时候反复告诉她说：她们家房子最好的地方就在于，楼洞口距离公交车站只有 5 分钟，而且只有一条小路，两边根本没有岔路。这也是爱迷路的林嘉和爱睡懒觉的陆瑟当初一致决定租这套房子的重要原因。

　　"借过一下，我到站了。"旗袍女贴在林嘉耳边，小声说道。车停了下来，林嘉朝后面挪了一步，那个拖蛇皮袋的老太太生怕被人抢先了下车，拿起蛇皮袋从人群中打开一条路，急匆匆地走下公交，旗袍女被撞了一个踉跄，跟在后面的人流中下车了。

　　林嘉浑浑噩噩地度过了整个白天，骚女人三番五次地来到她的工位上秀新买的香水、裙子和包。林嘉看着眼前的骚女人，心里默念道："今天老赵给你买，明天老马给你买，就没一样是你自己买的，哼，骨子里你和今天那个旗袍女都一样，土得掉渣。"终于挨到下班，林嘉浑身的骨头都要像庖丁解牛一样散得干干净净了。

挤了50分钟的公交车，林嘉终于挤到了家，还好等电梯的地方没有人。林嘉按下按钮，吱吱呀呀的电梯又伴着不情愿的声音工作起来。电梯门打开，林嘉按下15层的按钮，抠起了指甲，忽然想该不会又碰到那个神秘的旗袍女吧，忽然心里毛毛的，觉得一个人的电梯有点儿压抑。

在电梯门即将关闭的时候，一个老奶奶跑了过来，林嘉赶紧按下开门钮，帮老人留住门。老太太冲林嘉点头微笑，林嘉回了个微笑，心里舒服多了。

电梯门关上了，老太太伸出手指，按下13层。刺鼻的香水再次窜进了林嘉的鼻子，面前的这个老奶奶竟然喷了刺鼻的香水，一种熟悉的旧木头的香味。林嘉忽然觉得自己仿佛被捆在了一个气味的绞刑架上，一种即将窒息的感觉。

林嘉忽然想起了什么，她惶恐地拿眼睛的余光扫了过去，看到了老太太手中的那个蛇皮袋，袋口半张着，里面黑洞洞的，只有一件青翠色的旗袍的一角露了出来。

她认得那件旗袍！她认得那个蛇皮袋！她认得那个老人——

早上站台上的那个老人!

跟旗袍女一起下车的老人!

同样住在 13 层的女人!

和早晨那个旗袍女喷同一种味道香水的老人!

她不敢抬头,盯着自己的脚尖,连呼吸的勇气都没有了,她就要窒息了。

"叮咚。" 13 层到了。

老太太自言自语地说道:"借过一下,我到站了。"

——到!

——站!

——了!

电梯门开了,老太太走了出去。其间仿佛度过了一个世纪,林嘉仿佛疯掉了一样去按关闭电梯的按钮,老太太就那样站在电梯门外,提着一个蛇皮袋子,冲着林嘉微笑,用那张一颗牙都不剩的枯嘴。

终于到了 15 层,林嘉冲出电梯去叩自家的房门。她此刻只希望陆瑟能够快点儿开门,她需要自己最信任和最爱的人的怀抱,陆瑟永远不会丢下她不管的，陆瑟会保护她，照顾她，不管有什么灵异旗袍、恐怖老人还是神魔、妖魔、鬼怪，陆瑟都会保护她的。

门打开了，她一把冲进门厅，冲进陆瑟的怀中，痛哭起来。陆瑟温柔地吻她的额头，慌忙问她发生了什么，她说不上话来，只是紧紧地把头钻进陆瑟的怀中，颠三倒四地说着："香水……香水……她们有香水……"

"同事买瓶香水就把你气成这样啊，"陆瑟温柔地趴在她的耳边说，"宝贝，我能忘了你的生日礼物吗？我也送你一瓶香水哦……"

"不！要！"林嘉一把推开陆瑟，惊恐地瞪大眼睛，眼睁睁看着陆瑟变魔术似的从背后拿出一瓶香水，按了下去。那个熟悉的，如同埋在土里的陈旧棺木的味道再次扼紧了她的喉咙。林嘉看到，客厅的沙发上，坐着那个提着蛇皮袋的老人……

林嘉晕了过去。

这是为了娶林嘉而杀掉前妻和岳母的陆瑟被执行枪刑后的第314天，林嘉因为臆想症第13次晕倒。

10   我如何学会停止恐惧并爱上糖果

　　我们走进这条街，它温热、欲盖弥彰，同时不露声色地故作矜持。从内里散发出的天然的傲慢，让我从踏进去的第一步就开始紧张。

　　此时天色渐黑，我没有表，不知道具体的时间，我只能凭借素不相识的路人来判断时间。如果这里有一所学校，我可以判断出是4点——那些女孩子会在下学铃还未响完的时候涌出校门，穿着千篇一律的蓝校服裤子。如果这里有一个从地下长出的地铁口，我可以判断出是6点半——那时一群打着歪斜领带衬衣扣子松散，像儿童一样背着盛有笔记本电脑书包的白领男，会像蠕动着的蚯蚓钻出地面。如果是小区，当本不宽裕的走道被几个吹着口哨，牵着爱犬，大多是那种脏兮兮的哈巴狗，遛弯的"欧巴桑"占据的时候，我可以判断出更晚的时间，入夏时分一般是7点到8点。

　　可是现在这条路上阴森森的，一个人都没有。

　　我忽然想起某个女孩曾跟我讲过，在这种路上走的时候，千万不要回头看。因为人的身上有三盏灯，头顶一盏，左右肩膀上各一盏。回头一次便会灭一盏灯，灯若灭完，游魂野鬼便会乘虚而入。她并没有告诉过我如果我执意回头，灭灯的顺序究竟是怎样的。而我干脆伸手将床头边的壁灯一气儿拉灭了。我在黑暗里手忙脚乱地脱掉她的羊绒裤袜，她还在不停地讲着这个唯心主义的志怪传说。她对神话似乎有着天然的热情，直到她发出一声浓重的后鼻音，然后就停止了说话，开始专注于咬我的耳垂和耳郭。

她甚至还把舌头伸进我的耳洞中。

女人天生就是无聊的，她们大多喜欢在做爱的时候咬耳朵，全然不曾考虑如果遇到一个不爱清洁的男人，耳朵里会藏着多少尘垢。后来，我拉开壁灯，她改口说："其实这里也有一盏，而且是生命之灯。"

唉，你可以看看女人究竟有多么善变吧。

我尽力不去向后看，余光只得在道路两侧盘旋。全是一些紧闭的大铁门，灰暗，泛着金属的冷光。曾看过一本讲胡同文化的书，说门当代表着一座宅子的血统，门当越多家业越大。这里的这些大门，虽无门当，却带着让你无法直视的霸气。它们是故意不设门当的，里面的人不想让你知道他们是谁。门缝下的阴影应该是一双锃亮的警用皮鞋，他们握着枪，如同握着主人的阴茎。

"不允许射，也不允许软下来。"主人一定会这么说。

我想弯下腰去瞄一瞄门缝里的世界。这是我今天唯一的一次好奇心涌动。

真难得。

我刚刚倾斜了一下脖子，背后就传来了一个声音。

"干什么的？"

他问道。这其实更像一个祈使句，因为是那种中气十足的男中音，1994年版《三国演义》的开头曲，杨洪基就是用的这款声音。"滚滚长江东逝水，浪花淘尽英雄。"我光是想象这两句歌词就有些断气，我是决然唱不下来的。

我转过头去。他穿着一身绿警服，眼中无我。

"不干什么，看看。"

"有什么好看的？"

"我要知道有什么好看的，我就不看了。"

"这是国防重地，请勿逗留。"

"哦。"

我悻悻离开。在这短短的几十秒，我想了很多问题，比如国防重地为什么是这么简单（完全不可说简陋，因为它雕花，还带着古旧金属色的门把手）的木门？好莱坞电影里，这种地方不都该安插在一个有灯塔有守卫，还有雪山的禁闭岛上吗？再比如他的枪放在哪里？我注意到他环绕腰间的皮带，和我大学军训时校门口小卖部的那种货色并无什么不同，根本没有挂手枪的地方啊?

这些问题料他必不会回答我，而我干脆不问。我走了没两步，忽然想到自己刚才因为回头看他，肩上已经灭了一盏灯，很是不服气，便回过头对着他喊。

"喂。"

他果然上当了，转过身来。我便冲他挥挥手，说："再见。"

这种殷勤的告别对于一个机器人又有什么作用呢。他机械地转身，继续向黑暗里走去。我害他灭了一盏灯，十分得意地继续前行。走了几十米，我忽然想到我转身喊他的时候自己也灭了一盏，两盏换一盏，我并未赚到。

我整个情绪顿时又低沉了下来。

但我不能回头了，我只剩下一盏灯了。我要保留下来。

从这条幽暗的街道一直走下去，便会看到护城河环绕的皇家园林，那里面除了游客，再无生机。走出这条街道，踏过一道斑马线，便是另一处园林，明代的最后一个皇帝曾在这里吊死了自己。

他太温柔了，如果是我，我会炸掉这座宫殿。

我沿着墙根走，一只手在皇城墙上抠着。我知道一直走下去，

便是后海，而在一条不具名的小胡同深处，我租住的房子在那里等
着我。同时，房间里还有一只猫、一把吉他、一堆书和一张今晚开
往良驹镇的火车票。

从一个古都开往另一个小镇，这在矫情的背包客游记中，或许
充满着马不停蹄的忧伤。而在我此刻看来，不过是从一种无聊赶往
另一种无聊，这种虚无感一度延伸成一种恐惧。这种感觉，我从来
没讲给任何人，包括那些骑在我肚子上的女人。她们做完爱后，总
是不肯立刻让我拔出来，而是任由那匹小马一点点松软在洞穴里，
一边用食指刮着我的锁骨，一边说"来，讲讲你的故事吧"。

你们凭什么听我的故事，就因为你们上了我吗？这真是个好
笑的问题，如果我愿意和你分享一些什么，那前提一定是我狠
狠地干了你。而你们现在伏在我的肚子上，我连屁股都懒得动一
下，你们就该知道，我根本没把这场活塞运动当作一件需要动脑
的事情。

想听我的故事，除非你死了，或者我死了，可我们现在都没死，
我依然一周五天朝九晚五地去我的传媒公司上班，而你们依然只会
在周五或周六晚上发来喝酒的邀约。喝酒根本就是幌子，你们只是
需要一种刺激，而这种刺激，此刻却对我毫无作用。

　　这并非心理问题，单纯从生理上来说，就像给一个毒瘾发作的人一根红塔山一样。

　　毫无作用。

　　所以，我辞了职，换了手机号，此刻捏着那张火车票，站在北京西客站的大钟下面，与其说我打算将这座无聊的城市甩在身后，倒不如说我只是想看看过去。

　　是的，我要回良驹镇了。

　　那是一个在北京几乎无人知道的小镇，距离这里 865 公里。

　　我已经很久没坐过硬座了。一到深夜，车厢里面弥漫着被空调浸泡着的臭味。人们东倒西歪酣睡在绿色的座椅上，表情呆滞，像极了台湾僵尸片里的诈尸现场。我小心翼翼地穿过车厢，来到过道处，打算抽一根烟。我其实也没什么烟瘾，不过是想打发一下无聊，我一贯不喜欢早睡，更何况在一节运动的火车里。

　　很多人都认为女孩子抽烟是很酷的事情，细长的手指夹着一根燃烧中的香烟，烟雾缭绕起来，遮住脸庞，极具神秘感。我和他们不一样，我认为女孩抽烟一点儿都不酷，我顶多会觉得夹香烟的动作或许和生殖器有几分暧昧的相似罢了。

所以，我看到过道里那个抽烟的女孩时根本无动于衷。我站在她的旁边，从口袋里拿出一盒软包的蓝色中南海，噙出一根来。我搜遍了口袋，发现我没有火机。

她把手上的烟递给我，撇了撇嘴巴。

这是一根爆珠万宝路。我悄悄捏了一下过滤嘴，爆珠还在。

在点烟的过程中，她把头扭向窗外，长久地望着。此刻火车正经过华北平原，外面是一片深邃的黑色，我真不知道她能看到什么风景，或许她只是想从玻璃的倒影里打量我。

我是个自恋的人。

"给，谢谢。"我把烟递还给她，说了我登上火车之后的第一句话。

她接过香烟，点了点头，并没有和我说话的意思。

很好。我本身就不需要对话。

我闷闷地抽着烟，望向另外一侧的玻璃，车窗外的黑暗以120千米每小时的速度倒退着。在玻璃的一角，我看到这个女孩的倒影，白色的连衣裙，马尾，胸很小，目测A杯。她的脸我看得不是很清晰，但应该达到了A杯女孩普遍的漂亮。上帝是公平的，他喜欢给胸小的女孩一张漂亮的脸蛋和一副姣好的身材。

我忽然记了起来，我人生中看到的第一对奶子就是A杯的。

那是小学四年级，我迟到了，还忘记了戴红领巾，而学校的红领巾监督员依然纹丝不动地伫立在校门两侧等待抓反面典型。整个小学阶段，我都认为红领巾监督员是世界上最伟大的岗位，他们由优秀的学生干部组成，完全不需要上早读，只需要用火眼金睛揪出混在人群里忘记戴红领巾的同学。这听起来似乎并不牛，而他们真正牛的地方在于可以随意地拍拍其中一名忘记戴红领巾的低年级学生说，给我买"唐僧肉"我就放你进去。更可以揪出平日里的宿敌，将他们送上每周一升国旗大会的台子上念检查。

我绕过学校的大门，来到毗邻厕所的后墙，那里有一条逃学者们开辟的密径。我像往常一样踩着砖缝爬上高墙，跳上女厕所的房顶，猫着腰前行 10 米，正在我准备跃下房顶之时，我遇到了人生中母乳之外的第一对乳房。

那是学校里新来的青年女教师，大概是教英文的，她看起来和良驹镇格格不入，像从电视剧《流星花园》里走出的女人。

她站在厕所的一格之中，一颗颗地解掉衬衣上的扣子，之后脱掉。然后她又将白色的背心整个脱了下来，放进包里。在她从包里翻出新内衣的过程之中，那一对乳房就一直悬空在我的视野里，正是因为小巧，在她换衣服的整个过程中它们俩都几乎保持着稳定的状态，被我死死地盯住。

这个过程只有不到 3 分钟。她重新整理好衣物，走出了厕所，而我却在一股暖流中久久不能回神。这对乳房一直藏在我整个青春期的记忆里，一次次被梦到、被触碰、被供奉，直到我长成一名大人，逐渐将它忘记，却未曾想到在我 26 岁时，在一列开往良驹镇的火车上，会重新想起。

那个女孩抽完了烟，将烟屁股里的爆珠"啪"地捏爆，冲我耸了耸肩膀，走了。

我走到她刚才站立的位置，看到她的打火机被遗忘在烟灰盒上面。

"姑娘，你的火。"

她已走到车厢中部，转过身来，指了指我，冲我做了一个点烟的动作，示意那个打火机是她刻意留下的。

我的确还想再抽一根，我用她留下的火重新点了一根烟。她刚才手语的姿势有点儿像飞吻，我低头翻来覆去地玩弄着那个打火机，红色的、塑料的、一次性打火机。

因为她一句话也没跟我说，我开始觉得她或许是个有意思的姑娘。

也有可能是个哑巴。

列车用了 12 个小时抵达了良驹镇。

这是一座苏联风格明朗的老车站。红墙红瓦的三层楼房，斗篷式大屋顶、木窗，外墙上的浮雕装饰依稀可以看到本身的铜黄和银白色。站台上矗立着上个世纪 80 年代便待在那里的站牌，上面用黑色隶书写着两个字：良驹。

行包房的仓库额头上还有一颗早已被灰尘覆盖的五角星。

那是一个来自上个世纪的文身。

这里十年的变化，还没有北京十天的变化多。当年我离开这里的时候，曾幻想有一天我可以让良驹苏醒，而现在，我觉得他睡着的样子其实更加迷人。

我走出车站，依然是一条灰突突的柏油马路，路边停着一辆从上个世纪 90 年代开来的大巴车。司机兼售票员把脚踩在轮胎上，一只手挖着鼻孔，另一只手攥着脏兮兮的钞票在天空中挥舞着，口里用方言喊着"上车就走"。我并不赶路，便在外面抽了根烟，才登上车去，票价比我走的时候贵了一倍，当年是五毛，现在则是一块。

"到哪儿下？"

"跃进煤矿。"我用普通话说道。

车突突地开了起来，两边的梧桐树哗哗地朝后面倒去，夹杂着煤灰的微风从车窗刮进来，掺进我齐肩的长发。旁边的老人不停地悄悄看我，如果我再胖一些，她估计会误以为我是刘欢。

我和这里格格不入，我意识到。

于是我用方言更正道："师傅，我到北露天菜场下。"

"日！在哪儿下都弄不清楚！"司机张嘴就骂，牙齿里还镶嵌着煤渣。

我的记忆里，大多的良驹镇居民其实并没有这么暴躁，以至于从小我就觉得这是一个过于温顺的地方。这里没有游行集会，没有凶杀案，没有诈骗，甚至连邻里纠纷都很少，人们安心地挖煤、买菜、洗去菜叶上的煤灰、做一顿饭、吃掉，吃饱了再次走进煤矿。

如此往复。

我爸妈也是如此，他们很快就要退休，而他们之前的半生每一天都像是前一天的复制粘贴。他们一生中有一半的菜是从北露天菜市场买回来的。

北露天这个名字其实并不奇怪。良驹镇是一座为煤炭而生的聚落，上世纪 60 年代，一座国有煤矿在这里兴建，开始从地下开采煤炭。这里的煤层特别浅，不需要竖井深挖，只需要将地表皮肤轻轻揭开，便会有大量的煤炭源源不断地涌出来。于是，北露天煤矿、南露天煤矿、东露天煤矿、西露天煤矿依次出现，国家在这里发了大财。

北露天菜场很快就到了。我走下大巴车，看到了我少年时熟悉的菜市场，格局并无大变，只是发生了些许迭代。学生时代我常去的那家"平头大王"，如今进化成了"桃子美发屋"，前面立着一个黑白的转花筒灯。

我走了进去，一个小姐立刻站了起来。

"要保健吗？"她殷勤地问道。

"不要。"

"大哥，你开玩笑呢，不保健来这儿干吗？"

"我真的不保健，你可不可以单单给我剪个头发。"

她似乎读到了我口吻里的认真，冲后门喊了一声"桃姐"，便又坐回到沙发里去了。她跷起二郎腿，冲我嗤笑一下，埋头玩起手机，是一台假的 iPhone。女孩不该跷二郎腿，那样很容易就会让暗红色的底裤从短裙里露了出来。那短裙真没用，连屁股都包不住。

　　桃姐走了出来，是个 40 岁出头的老阿姨，穿着一件并不合身的旗袍。

　　"你剪头发？"

　　"是的。只剪头发。"

　　"12 块。但是太复杂的发型我做不了。"

　　"不用太复杂，剪短，看起来和街上的人一样就可以了。"

　　"那就毛寸。"

　　"好的。"

　　"小薇，把剪刀给我。"

　　沙发上的女孩从桌子上拿起一把剪刀，递给了桃姐。

　　我闭上眼睛，打起了小盹儿。一觉醒来，面前的这个我顿时有了北露天人该有的气质，头顶的碎发一根根竖着，两鬓平平，有点儿像没涂发胶的金正恩。

　　"要不要来点发胶？"她问道。

　　"不了，谢谢，这样就挺好的。"我给了她 20 元，说道，"不用找了。"

　　我顶着新发型来到隔壁的服装店，坐在收银台吃瓜子的胖姐姐立刻迎了上来。

"帅哥，买衣服还是裤子呢，全是韩版原单的。"

"有没有灰色的衬衣？"

"你这么年轻，穿什么灰色，来个潮流一点儿的嘛！"她从衣架上拿出一件胸口印着巨大的英文字母的白衬衣给我，我读了一下，英文是"have a good time"。

这很显然与我现在的状态不符，我摇了摇头，"我只要灰衬衫，最普通的那种"，说完我指了指门外马路上经过的一个年轻人，他叼着烟嘴，匆匆路过，穿着一件好像工作衣的灰衬衫。

她找了半天，从衣架下面的塑料袋子里翻出一件灰色衬衫，和刚才那个年轻人身上那件唯一的不同在于有一排白色的扣子。我跟她讲，我不想要白色的扣子，我想要最简单的。

"白色的扣子才潮流好不好，是一种混搭的效果，很英伦。"她把扣子边缘的线头揪掉，认真地说。

"再没有更简单的了？"

"真没了。"

"那你再帮我找一条裤子吧，和衬衣搭配起来。"

"你腿上那条破洞的牛仔裤其实挺不错的。"

"嗯，但是我今天要去矿上招工面试，穿这个不适合。"

我撒了一个谎，她便信了，放下手中的瓜子，更加认真地翻找起来。最后她推荐给我的是一条土黄色的灯芯绒裤子。

"这是我这儿最土的裤子了，你瞧，还是这种扣鼻儿。"

其实我很喜欢，觉得很潮，和 CLOT 去年的一款很相似。

"衬衣 130，裤子 180，一共 310，你给我 300 得了。"

"太贵了，280 吧。"我已经很多年没砍过价了。

"行行行，真是会砍价，赔本卖给你得了。"她爽朗地答应了。

买贵了。

我在试衣间里换着衣服，觉得有点儿沮丧。

我明白自己还没有完美地切换到良驹镇模式。

这正是我接下来要做的事情。我把自己重新打扮回良驹人的样子，并不是为了回归，而是为了让自己在这里的短短一段时间里不引起任何注意。这是我从流感病毒的工作原理中学到的。它们将一些蛋白质附着在自己的身上，伪装成细胞需要的营养素，从而绕过免疫系统，钻进细胞内部。我曾在去年患过一场历时三周的感冒，一度以为自己得了禽流感，痛不欲生。

我在市场里盘桓，买完我需要的一些东西，又重新折回到这家服装店。这次我吸取了经验，砍了半天价，花了 30 元，买了一个假路易斯威登的斜挎包。

胖姑娘递给我一张名片，上面写着"潮流前线 中学生服饰 刘翠桃 15839855181"。

"我们老板娘名片，隔壁发廊也是她的。"

"哦，桃姐。"

我将买好的东西装在这个印满了 LV 和 GUCCI 标志的挎包里，像极了一名收电费的职工，我满意极了。

我重新坐上一辆新的大巴，此处距离跃进煤矿只有 4 站地。

崔明亮站在矿区的大门口，我一下车他便冲了上来，重重地在我背上拍了两下。这是我高中时最好的哥们儿，我和他有三年没见了，很显然我们都变了。

我重新变回良驹人，而他则变成了良驹资深生活方式总监。

他穿着一件短袖的白衬衫，肚子挺了起来，换了一副新的金丝眼镜。他拉我走进矿区大院一块写着"严禁烟火"的牌子下面，递给我一根玉溪。

"怎么穿成这个操行？跟村里来的似的。难不成是要作调查？"

他的问题竟然和我预先安排的说辞不谋而合，开局顺利。

"对，作个田野调查。"

"日，调查啥田野啊，就调查矿上。最近矿上工资老拖着，我房贷都还不起了。日。"

"仃。"

"真调查啊？但你可别提我的名，你可以写据一名不愿透露姓名的知情人爆料。"

"好的。"

"回来几天？"

"不定。"

"还是这么屌，说话一个字一个字蹦啊。没变，你。"

他推了推眼镜，斜叼着烟嘴，冲我挤了挤眉毛。他也没变。这表情像极了他高中时的样子，我们一起藏在厕所里抽烟，被教导主任撞到，他吓得烟头掉进了裤裆里。他裤裆里冒着烟说，主任好。主任拿出一根烟放在嘴里，尿着说道："信球货，点上。"

我跟着他往机关楼走去，注意到他的背影，开始有了30岁男人才会有的形状。

"你能给我搞点儿炸药吗？"

"日，咋着，你准备炸碉堡啊？"他显然被我的请求吓了一大跳。

"不是，我舅那边不是干小煤窑呢吗？你从矿上帮着弄点儿炸药啊。"

"日，现在炸药难弄着呢，你舅那么有钱，咋想着找矿上弄炸药啊，出去买点不就得了。"

"不是查得严吗？你帮我少弄一点儿就行。"

"要多少？"

"500 公斤？"

"放你妈个屁，还 500，我给你弄个原子弹，你把整个良驹炸了吧。"

"那 50 ？ 其实我也不是很懂。"

"最多给你弄 20 公斤，但是丑话说前头，赚了钱咱俩分，捅了篓子你别说我给你弄的药啊。"

"放心吧。"

"对了，你这次回来调查什么的？"

"嗯，就随便调查，我想采访一个工人、一个农民、一个商人、一个干部、一个学生、一个军人，再采访一些没工作的人。"

"日，你这是全国人口普查啊。"

"我想先采访一个工人，要不从你开始。"

"放屁，我是副科级，坐办公室的，你想采访工人我给你去车间里找。"

崔明亮说的是实话。他们这批是良驹矿务局的定向委培生，在省内一所理工大学里学习采煤专业，为期两年半，回来后和矿区签订十年的合同，享受副科级待遇。崔明亮这两年一直不高兴，比他早毕业半年的那一批分回来三个月就整体提成了科级待遇，而他这批辛辛苦苦地在一所一个漂亮妹子都没有的大学里安心打了两年半网络游戏的，回来却恰好赶上矿务局人事调整，据说要干五年才有机会转正，现在才是第三年，而且开始拖欠工资。

"晚上我给你好好安排安排，让大记者也感受感受咱良驹镇的风土人情。"

他话锋一转，我笑了笑，算是默认了，我也只能默认。

崔明亮的办公室十分闷热，一台大吊扇呼呼啦啦地转着。暗红色的大木桌上压着一块儿大玻璃，玻璃下面是各种剪报，玻璃上面放着印有"安全生产一千天"的搪瓷杯子，里面塞满了烟头。

崔明亮自顾自地坐下，摇了摇鼠标，显示器重新亮了起来，果然是 Dota 的画面。

"日，又被踢了。"他关掉电脑，从键盘下面取出一个红信封，对我说道，"你等我会儿，我去给付矿长送个礼。""干吗不给正的送？"

"人家就是正的，姓付。"他刚走出门两步又将头伸了进来，"等会要是有别的人来了，问我去哪儿了，可别提这事儿啊。"他晃了晃红信封。

付矿长日理万机，没在单位。崔明亮垂头丧气地回到办公室，将信封锁进抽屉里，说道："走，金玫瑰。"

晚上的局并非很大，几乎全是崔明亮的朋友，我一个都不认识。他兴奋地向朋友介绍着我，在他口中，我几乎成了日夜进出中南海的朝廷大员。那些朋友，看着我的着装面露疑色，却频频举起酒杯，说着景仰的话，吭吭地干着白酒。

酒局终于散了。崔明亮接过一个发际线奇高的朋友递过来的车钥匙，把手搭在我的肩膀上同我走出大厅。这是一辆破旧的桑塔纳2000，它将载着我们开进新时代。

金玫瑰比几年前落魄多了。在崔明亮办理入住的时候，我一直在数大厅地毯上的烟疤。我们来到三楼的洗浴，在我还在搓背的时候，崔明亮已经摇摇晃晃地奔向四楼，浴巾没遮住他的屁股，白花花的，一晃一晃。

他还唱着《两只蝴蝶》。

他高中时就跟我说过，相比于馒头的，他更喜欢蝴蝶的。

那个时候，我对这些一无所知。

我最终还是来到了4楼，因为房间钥匙还在他的柜子里锁着，我实在不想一个人干坐在澡堂子里等他。

我刚躺下，房门就被推开了，女孩长得还不错。

"你叫什么？"我觉得我问了一个毫无意义的问题。

"我是9号，我叫左晴，我还有个姐姐，是12号。"她放下小提篮，开始捏我的小腿。

"为什么要提到你姐姐？"

"我们是双胞胎。"

"是吗？可以一起点吗？"其实我一点儿都不想打炮，我只是想知道从她嘴里究竟能吐出多少谎言。这些小姐最擅长说谎，我曾见过一个女孩操着一口浓郁的东北话说自己来自四川。

"以前可以，但现在不行了。"

"为什么？"我点了两根烟，递给她一根。

"谢谢。因为她被一个客人整了，那客人说不让她再出现在金玫瑰，不然搞她。"

"可是客人花钱不就为了搞她吗？"

"不是那个搞，是这个搞，"她做了个抹脖子的动作，"搞死的搞。"

"这么狠啊，那她现在呢？被搞死了吗？"平日里装惯了绅士，在这种场所我终于暴露出我粗鲁下作的一面，说起话来像个原始人一样没有美感。

"只能去搞了个小美发店，打打游击了，在北露天菜市场那边。那里生意可惨多了，一天赚不了几个钱，公安也不好打点。"

我忽然想起今天剪头发的理发店，拉客的那个小姐和眼前的左晴的确有几分相似。

"你姐姐是不是叫左薇？"

"你怎么知道？"

"猜的。"

"真厉害，"她眼神里刹那间流露出警觉，"你该不会是警察吧？"

"不，我是城管。"

"呵呵，您真逗，不过就算你是警察，也希望你不要抓我们。我们多不容易啊，靠身体吃饭，才能吃个几年，警察的铁饭碗，一端就是一辈子，抓了我们就生嫖，还不戴套，也不给钱！"

"什么客人啊，这么嚣张。"我努力把话题重新带了回来。

"矿上的一个领导，好像是个副矿长。说是要给我姐安排到气化厂，反正每次来点我姐都不给钱，还说攒着就当安排工作的钱。全是骗人的，就那样生嫖了一年，都是我姐贴的钱，算算也得有小一万块钱了……"

"你姐一次多少钱？"我打断了她。

"全套 200。"

我粗略地算了一下："这副矿长够勤快的啊，那看来得每周都来啊。"

"嗯，后来我姐找他要钱，他和我们金玫瑰的老板一说，我姐就被赶走了。算了，不提了，来，把浴袍脱了，咱们快开始吧。"

"别了，我不想做。"

"你快别逗了，我都进来 10 来分钟了，你也不早说，这样我怎么算钟啊。"她伸手就要拽我的浴袍。

"没事，算我做了全套。"

"你是不是有毛病啊？"她嘿嘿一笑，伸手抓了一下我的下面，"硬不起来？"

150

我没理她，只是说："去，把电视打开。"

"哦，"她听话地去拿遥控器，"我可遇到过那样的客人，刚做完包皮手术，还要来这里。我说不会有事吧，他说没事，硬起来就要生嫖，结果还没进去就裂开了，全是血啊，吓死人了，到最后他没付钱，我还赔了他200块。"

她说起话来像个深谙画面感的作家，起码"生嫖"这个词给我留下了很深刻的印象。

"要不要我帮你姐把钱要回来？"我问道。

"你？我不信，你们男人就是说说而已，你要真能要回来，我给你分一半，或者免费让你干半年。"

"别了，还是分我一半好了。你把他电话给我。"

"15116229800。"她从小包里翻出小本，逐字念着。

"你的电话号码也给我吧，我要来钱了打给你。"

"好的，我说，你记。"

崔明亮第二天一大早就回到矿上去上班，我独自一人退了金玫瑰的房间，回到北露天菜场，找了菜场一角的一家旅馆，住了下来。我对住宿无甚要求，只要不用身份证登记即可。

我没打算回家，我也没打算告诉我父母我回到了良驹镇。

他们不该知道，但他们迟早会知道。

我站在小旅馆的二楼，望着下面买菜的人群，漫无目的地搜寻着目标。我觉得我此刻有点儿像一名星探，其实我就是一名星探，我真的有随随便便让人一夜爆红的超能力。良驹镇一行，我打算找到 7 个，而此刻，我认为我已经找到了 4 个。

熙熙攘攘的人头让我开始有点儿眩晕，我揉了揉眼睛，注意到拐角处的一个瓜车，我需要给自己买一点儿补给品。

瓜农无精打采地帮我将一蛇皮袋的西瓜搬到旅馆二楼来，收了我 62 块钱。

我问他，甜不甜。

他看着我，说，我老段每天在这儿，卖了十年，西瓜不甜不要钱。

原来他叫老段，真是一个朴实的代号。

"段师傅，你留个电话给我，好吃了我还找你买。"

"我摊儿就在楼下，你随时来买。"

"我比较懒，有时不想下楼。"

"现在的年轻人，真是……我说，你记，135……"

我从包里拿出一把跳刀，刺啦一声将瓜切开，鲜亮的沙瓤，看上去真的很甜。忽然楼下响起了争吵声，愈演愈烈，逐渐加入了摔打声。

从很久以前，我就不爱凑热闹了。我只是关注我自己，别的人都无法吸引我的兴趣，我离开北京快三天了，我只记得那只红色打火机和留给我电话号码的妓女版 Twins 组合。

我拿着跳刀继续从半拉西瓜里挖着瓜肉吃，直到吃完一大半才擦了擦嘴，走到走廊上去。老段坐在一堆西瓜瓢中，被一群城管围着。周围的小商贩都叉着腰，却根本不敢上前，带头的那个城管，肚子比西瓜还要大。

我点了根烟，就站在那里看着，顺便数着摔破的西瓜。

我抽了 3 支烟，城管们才离去，一个年轻人临走前还抱起一个西瓜，敲了敲，掐在腰间，走了。

我走了下去，塞给老段 400 块钱，说，这车西瓜我买了。

老段说，你滚。将我的钱扔在地上，拉着板车走了。

旁边的人说，小伙子，他脾气倔，别理他了。

我追了上去，把钱塞进他的口袋里，往回走。

"日你妈！"老段的声音在背后久久回荡。

中午到了，我去了高中时最爱去的那家面馆，要了一碗羊肉烩面，上面飘满了白色的油脂。我一边把葱花挑出来丢在桌子上，一边拨了一个电话给15116229800，电话接通了，一声中年味十足的"哪位"，我问"付老板是吗"，中年声音说"是的，你哪位"，我挂掉了。

北露天的烩面在我离开良驹镇的七年里死了。

我剩下大半碗面，放了125元在桌子上，离开了。

事情已经成了一大半，我开始在街道上闲逛。

这里是丘陵地带，整个良驹镇都建在一个山坡上，在没有水泥马路之前，这里是一片红土。最繁华的那个街区以它为名，叫作红土坡，我很小的时候就住在这里。红土坡的正中央，是大多数良驹少年的小学，良驹矿务局机关子弟小学。

大约在上个世纪90年代中期，每次放学我们都会从子弟小学的大门里冲出来，买一毛钱一包的"唐僧肉"、济公开胃丹和冰袋，还有3毛钱一个的辣子馍，然后大快朵颐地来到红土坡的主路上，顺着大坡奔跑下去。

在改革开放成果不断勇攀新高的康庄大道上，我们这些厂矿子弟，就这样和大国企一道，狂热地享受着走下坡路的舒适。

这本身就是宿命，良驹少年的宿命。

在这条大坡的中央，我曾跌倒过，并捡到了我人生中第一笔巨款。

10元。票面上印着一个戴着鸭舌帽的怪爷爷和一个裹着白头巾的青年。他俩是那一刻我热爱的人。

我在哪儿跌倒，就在哪儿爬起，挥舞着10元，狂跑回家，交给了我妈。我妈将那10元拆分成100张一毛钱，塞进我的小汽车储蓄罐里，每天可以取出5张。

我人生中最幸福的一个月，竟来源于一次跌倒。

此刻我站在我曾跌倒的地方，口袋里有1600元钱和能取出23万元的银行卡，一脸麻木。

我慢悠悠地走着我当年不止一次冲下去的红土坡，旁边的墙壁上贴满了治疗尖锐湿疣的广告，直到我看到一张巨大的海报。漂亮的毛笔字，"北大心理学硕士，暑假心理辅导，给孩子一份健康心智。地址：红土坡路14号。林老师：13520475028"。

一堂被尖锐湿疣包围的心理课，贴在一条大厂矿的下坡路上。

这位林老师一定有严重的心理问题，才会想到在良驹镇上办一个心理辅导班，他一定会赔到连裤子都不剩。

　　但我感兴趣的点在于"硕士"这个 title，他是学生，不错，计划终于走到了最后一步。

　　我按着地址来到红土坡 14 号，从外面看，这是一幢老式的二层小楼，我猜测房主应该是一副戴着金丝眼镜的老干部模样，而林老师或许会是他的孙子，有着儒雅的外表，干净的穿着，简短的头发，笑容里带着涉世未深的腼腆，开门时兴许手里还拿着一本德语版的《梦的解析》。

　　我忽然看到猫眼下面贴着一张《生活大爆炸》里的谢耳朵的贴画，看来林老师会比我想象得要活泼一些，幼稚一些，有趣一些。

　　我喜欢有趣的人，我甚至会猜想有趣的人吃起来肉质也会清脆一些吧。

　　我学着谢耳朵的方式——"砰砰砰，林老师。砰砰砰，林老师。砰砰砰，林老师"地敲了敲门，觉得自己很有幽默感。

　　我竟然笑了。

　　这时我注意到谢耳朵的头上竟然就是一个门铃，我被愚蠢的自己再次搞笑了。

　　我按了 3 次门铃，无人应答。于是我拨打了林老师留下的电话。

接电话的竟然是个女人。随之，门开了。

我和林老师一起惊呆了。

"我是来还打火机的。"我从裤袋里掏出那个红色打火机，率先打破了宁静。

她依然穿着火车上那条白裙子，所以我轻易认出了她。由于我现在穿得像个收电费的，她反而十分惊讶。

她带我进入到这个房间里，进门是一个正方形的小院，一楼的客厅被她改造成了教室该有的样子，小黑板、四五张桌子和一个投影仪。二楼传来音乐声，是玛丽莲·曼森的《Eat me, drink me》。

我说，心理医生听这个？

她笑了笑，递给我一个苹果。

"来，讲讲你的故事吧。"她说话了，她不是一个哑巴。

我怀疑她是一个会催眠术的心理医生，看着她眨巴的眼睛，我竟然开始有了倾诉的欲望。我忍住这股欲望，冷冷地问她："我又不是患者，为什么要讲述我自己？"

"你没病的话，为什么要从火车上跟踪到我家呢？"

"真的纯粹是偶然，我想给我侄子报个心理班而已。"

"你觉得我信了吗？"她自信地笑笑，眼神里写满调戏。

"信了。那你叫什么？"

"林嘉。"

"我叫温拿。"

"你在骗人？我从来没听过有人姓这个。"

"温儒敏。"

"哦，对。"

当她告诉我真名之后，我就知道她已经开始相信我。我知道那是真名，因为我进门后看到了茶几上放着的身份证。

我虚报完我的名字后，开始大口地嚼起手中的苹果，并继续向她虚构了一套完整的我。

温拿，良驹镇人，刚从北京回来，年龄28，未婚，处女座，文化杂志供职，到良驹镇做一个"死城漫游指南"的专题，关于资源枯竭型城市如何被这个时代榨干营养后抛弃。受访人群分为"工农兵学商政杂"7个，目前还在作采访的前期准备，采访就在近些天。

我的确做过记者，最擅长编纂这些。而这段介绍里的信息，真真假假，显然比我告诉崔明亮的版本要完善得多，我自己都开始信了。

“你这是七宗罪的套路吗？”

“不算是吧。”

“你现在都找了什么人呢？”她完全相信了我讲的一切，好奇地追问起来。

“工人我有哥们儿在矿区上班；农民我瞄了一个卖瓜的；兵暂时还没想好，你觉得城管算吗？”

“当然不算，起码得有枪的。我们这儿没有驻兵，恐怕不好找。不过，单纯从国家机器的性质来说，警察勉强算吧。”

“商人，我找了一个服装店老板；政府官员呢，我找了一个矿区的矿长，良驹矿务局是国有企业，勉强算体制内的政客吧；至于杂，我想找一些性工作者。”

“良驹镇没什么夜生活，这直接导致了窑子多。这里最不缺的就是妓女，矿工们都需要这个。”

“嗯，至于学生，你可以帮我物色几个同学吗？”

“为什么不可以采访我呢？我对良驹镇有很多话说。”

对啊，我本来计划里她不就是那个学生吗？为什么当我看到是她，就选择了改变计划呢？就连崔明亮都没有改变我的计划。

我开始意识到我心理的问题，我不够坚决。

"嗯，你学历太高，不适合，我想采访技校生。"我又一次骗了她。二楼的曼森此刻唱起了《This is the new shit》。

Babble, Babble, Bitch, Bitch

Rebel, Rebel, Party, Party

Sex, Sex, Sex, Don't forget the violence

她耸耸肩膀："如果学生在的话，我不会放这首歌的。"

"你招到学生了吗？"

"还没有，似乎心理辅导在良驹镇没有市场。"

我心想，你把"似乎"二字去掉，就是答案。可我的嘴上却说："要不，你来给我上课吧。"我甚至开始从口袋里掏钱包。

她看了看我说："那我给你算 8 折好了。"

"介意我跟你上二楼看看吗？"

"来吧。"

她走在前面，我看着她的屁股，竟然勃起了。幸亏那条宽松的灯芯绒的裤子，没有让我出丑。我陷入了计划被打乱的焦虑中。看来我的确需要一个心理医生。

　　二楼是一个临时的卧室，一张大的床垫，周围全是 CD，一把吉他，只是少了一只猫，不然像极了我离开北京时后海的房子。

　　她关掉音乐，看着我，我也看着她。阳光从窗帘缝隙中照进来，在一盘磨砂质地的 CD 盒子上散射，均匀地映在我俩脸上。些许细小的灰尘在光束里跳动。

　　我怀疑她也有反应了。

　　如果我是个正常人，此刻我应该吻她，然后骑上去，任由小马奔驰进她那隐蔽的草原中。可是我并不正常，我只是说："你看到这束阳光了吗？它让我想起了 14 岁的一个下午。"

　　我有两次初恋，我搞不清楚该怎么计算。所幸这两次初恋的女孩，竟有着读音相同的名字，一个叫静，一个叫晶，而她们都喜欢称自己为"井"。于是在我此后的岁月中，每当我需要讲述起这段时光时，我都将她们两人糅合成一个人，我知道这对她们不公平，但对我而言的确很方便。

　　14 岁的那个下午来自第一口井。

　　我只是在一堂物理课上，漫无目的地将眼神放在了她的身上。忽然就被物理老师捉了起来，这个老女人的原话十分淫荡"你再盯着人家看，你的作用力就要将她推倒了"，当时"推倒"还没有如今互联网上的概念，但依然引起全班同学的哄笑。

同学们的哄笑持续了两分钟，两分钟后，我觉得我喜欢上她了。而我不知道，15分钟下课后，我将看到那一束阳光。

15分钟后，下课铃响。坐在我身后的另一名女孩走到我的课桌前说，你跟我到操场来一下。她是学校的女混混，没人敢惹她。我跟着她一直走一直走，一直走到操场的正中央，那个下午特别热，操场上没有一个人，也没有一棵树，我觉得我快要被熔化了。

她问我是不是真的喜欢物理老师口中的那个女孩，作为一名顶天立地的男人，我两分钟前才作的决定，怎么可能轻易忘记。我说，当然，深爱。

她看着我，我看着她。然后她从口袋里拿出一把跳刀，放在我的胳膊上，说："信不信我放了你的血。"记忆里那把跳刀滚烫。已经快要吓尿了的我故作镇定地说："我信，但如果你敢杀了我的话，我会告诉班主任的。"她冷笑了一声，说："如果班主任有用的话，还要警察干吗？"然后她就突如其来地痛哭起来，举着那把明晃晃的刀子，持续地哭。

她坦然地说出这样语法错误的病句，依然让我觉得高深莫测，显然那个时代的女孩都被《流星花园》洗脑了。课间10分钟很快结束，下一堂课是语文，她传给我一张纸条，上面写着"我以后再也不喜欢你了。——杉菜"。我将那张纸条夹在《三点一测》里，很长的一段时间我都以为那是"榨菜"的意思，也不明白她为什么要给自己起一个这样古怪的名字，因为我从未看过这部剧。那时候，《流星花园》还只存在于录像带里，我家里没有录像机，我也从不敢去录像厅。

多年过去，我甚至常常记不得那第一口井姓什么，长什么样子，最后怎样从我的世界里消失，我也记不得那个举着跳刀站在操场中央的女孩叫什么，长什么样子，最后去了哪里，但我始终记得那个夏天，那把跳刀。它把阳光全都反射到我的眼睛里，些许灰尘在光束里跳动。

那年夏天，我第一次遗精。

我告诉了我爸，我爸把内裤丢进洗衣机，拍拍我的肩膀，美滋滋地说："儿子，干得漂亮，中午让你妈给你做顿好吃的。"

我讲完这些，林嘉扑哧一声笑了出来。

"吃点儿好的。哈哈哈，温拿，你爸真逗。我爸以前也特逗。"

"现在呢。"

"死了。"

她的回答骤热骤冷，我感觉一口热空气呛在嗓子眼儿里。为了化解尴尬，我对她说："你陪我出去走走吧，反正你这儿也没学生。"

她说，好，你卜去等找，找换件衣服。

她换了一件黑色的打底裤。

她从楼上下来的时候，只穿了一条打底裤和一件文胸。

"我忘了这套裙子在楼下，你把眼睛闭上。"

我还没来得及闭上眼睛，她已经从沙发上将一件黑色的长裙套在了身上，像一条鱼钻进洞穴里。我帮她拉上背后的拉锁，巨他妈紧张。

我知道，我和她之间有点儿什么发酵了。

她问我想去哪里走走，我还没有回答，她便替我给了答案，"那就去你没去过的录像厅吧"。其实我此刻想去的是大火车、淘金工厂和蒸汽天堂。我刚才的故事里只说了我14岁的时候没有去过录像厅，但谁都知道青春期的男孩求知的步伐有多么矫健，所以仅仅一年之后，15岁的我已经和录像厅老板混得脸儿熟了，并开始认识一些日本女明星。但我没揭穿她，我心里想她愿意去哪儿我都陪她好了，毕竟她没爸。

　　昔日的录像厅一家家都关了门，取而代之的是各种超市和两元店。但这难不倒她，她说，跟我走，就把我带进了一个小区里。沿着小区的高墙我们一直朝前走，终于在最后一栋楼的背后，那堵高墙破了一个巨大的洞。

　　"果然没有变。"她拉着我从洞中钻了过去，映入眼中的是一个巨大的操场。这里是良驹镇唯一一所煤炭技工职业技术学校，无数的学生从这所学校走出，钻入地下，成为整个良驹镇最为吃香的煤炭工人。而我少年印象中，煤技校的更多学生从这里走出，打爆无数社会青年的头，最终成为看守所的一员，以及流传在我们口中的江湖传说。

　　"你瞧，我对这里多么熟悉，所以你完全可以当我是技校生，所以你到时候完全可以采访我。"她冲天空深深呼了一口气。

　　"再说吧。"我看着草坪，默默吸了一口气。

　　我跟她穿过操场，来到了煤技校的另一端，果然有一家破旧的音像店。我走了进去，里面尽是一些港台旧电影，还有一些盗版的卡拉OK碟片，刀郎和凤凰传奇的歌碟被摆在了最上面。

我拿起一张封面上印着泳装的歌碟，递给她："你都会唱吗？"

"这首我会，"她指着一首《九月九的酒》，兴奋地说道，"当年我爸从矿上下班后回家就唱这首歌，当时我还以为是一首乘法口诀歌。"她放下歌碟，继续认真地说，"当年，这里的二楼是一家录像厅，我哥常带我来这里看碟片，港台的古惑仔片。到了晚上他们会放一些黄片，我就在外面放风。"

她翻着那堆脏旧的碟片，似乎想重新找出来那种碟片："当年有两次我印象特别深刻。一次是他们在里面看毛片，然后煤技校里有个男孩过来给我递了一封情书，后来我哥知道了，带人把他打了个半死。"

"你哥这么猛，封建家长啊？"

"对啊，我哥一边打他，还一边说，煤技校的鳖孙还敢泡我妹妹，我妹将来是要上清华的。他从此以后再也没敢来找我，其实，我对他还挺有好感的。"

"你太对不起你哥了。让你上清华，你竟然上北大。"

她笑了笑，抬头望了望白炽灯，说："还有一次，就比较惨了，公安来查录像厅，我给吓跑了，结果我哥他们一帮就被一锅端了，在里面蹲了一个多星期。我每天都去给我哥送饭，我爸说甭给他送，饿死他才好。我当时就急眼了，就是你死我哥也不能死。"

"后来呢？"我明显觉得这像某部我熟悉的电视连续剧情节。

"我爸就把我打了一顿。"

"哈哈哈，再后来呢？"

"第二周，我爸去矿区下井的时候，塌方，死了。"

正在哈哈哈的我再一次陷入了尴尬，结结巴巴说了句对不起。她倒是淡淡一笑，轻轻地说："过去多少年了，没事儿。"

"那你哥现在呢？"

"在北京当兵，给领导看大院，可威风了。说是能留下来给领导当司机，谁知道呢。"

我忽然想起我离开北京那天看到的锃亮的警用皮鞋，说不定有一双就穿在林嘉哥哥的脚上。

从音像店出来，我的左手拿着一台刚刚从音像店里租来的一台索尼摄影机，还有 3 盘 60 分钟的 Master 带，这属于临时起意，但我很确定地跟她说，两盘都有用途，一盘我要用来录我接下来的采访，另一盘我待会儿会录一些好玩的东西送给你，另外一盘则作为备用。作为一个极度自信的人，最重要的是时刻保证有一套 Plan B。

"接下来，听我的，我们去大货车、淘金工程，还有蒸汽天堂！"
"嗯。"

良驹镇真的很小，很快我们就从中心走到了居住区的边缘。那里有一条货运铁轨，连接着东露天和西露天。而我们要去的 3 个地方，全都在这条铁轨的尽头，一路向东，东山脚下。

与这条铁轨并行的 500 米远处，便是陇海线，那里不停地有特快列车通过，把满满的乘客从西安送往郑州，从洛阳送往兰州。我当年坐着这条铁轨，开往了遥远的北京，而此刻，我站在曾与之并列的一条铁轨上，试图开回十年之前。

这条已经废弃的铁轨上，长满了长长短短的野草。我们走在太阳下面，野草中间，隐约间开始像一对儿情侣。她走在我的右边，我们的肩膀不经意碰在一起。我和她的影子被太阳映在我们的面前，伸得好长。我们后来牵着手，一人站上一根铁轨，往前走去。

我们走了 15 分钟，大火车就出现了。

那里有大约 10 节废弃的车厢和车皮，有绿皮的客运车厢，还有黑色的煤用车皮，还有用来运送液体的大圆桶。我读小学的最后一年，它们开始被遗弃在这里，那时候的它们还外表鲜亮，尤其是那一节绿色的客车厢，常有情侣躲在里面偷情。

我给林嘉指了指那些如今已沦为朽木的椅凳，当年真的是有人坐在那上面亲吻，那时候亲吻还是一件大事。我们走在车厢里，脚下的木板发出咯吱咯吱的声音，尘土飞扬。

"你知道吗，我曾经亲眼在这里见过女人抽男人耳光。"

"多正常的事情啊。"

"可在当年，的确算是个新鲜事了。"

我忽然又记起来了，同样是在小学四年级的那个暑假。

那个时候男生们已经陆续发育，除了洗澡的时候集体比生殖器，男生们都开始关心起勃起的问题。我们班的小混混唐白在大扫除的时候，把我拉到树荫下，问我那里有没有变硬过。我当时其实已经偶尔会有反应，尤其是在厕所房顶看到了那对 A 杯乳房之后，我曾长久地陷入那种未知的温热之中。但我仍然故作镇定地对唐白说，怎么会，坏孩子才会那样。唐白一脸严肃地说，我已经问过全班的男生了，他们晚上想到咱班小玉时那里都会变大，就剩下你和崔明亮还没有，你们要抓紧时间，不然我们就决定不和你们玩了。

小玉是班里最漂亮的女孩，总是穿着白色的长筒袜和水晶凉鞋，我一直偷偷喜欢她。在我知道唐白看到小玉后那里也会变大这件事情之后，便将他的铅笔盒从楼上扔了下去。唐白说了，放学让我和崔明亮不要走，他煤技校的哥哥要来跟我谈谈铅笔盒的事情。放学铃一响，我和崔明亮就拔腿而逃，一直跑到大火车，藏到天黑。也就是在这里，我亲眼看到一个男人跪在那个 A 杯女老师面前，抱着她的大腿，任其耳光抽打。

四年级结束，多事之秋，小玉转学了，A 杯老师据说怀上了不知道谁的孩子，被开除教师资格，嫁给了乡下一个卖牛肉的老头儿。

林嘉听得一愣一愣，说她当年似乎也听说过那件事情。

"当年有很多地方都有这种亲热功能。我记得良驹镇电影院的后院下面，有一个防空洞，我哥带我翻墙逃票的时候，常常从那个防空洞上经过，我不止一次在那里见到过做爱的男女，只是我那时候还不懂他们在做什么。你记得那里吗？"林嘉讲到这里，我忽然觉得我是一个那么有故事的人，我曾在玩捉迷藏的时候在那个防空洞里意外昏迷，我奶奶闻讯赶到，拒绝将我送往医院，抱着我沿着大坡为我叫魂。在离坡顶还有三分之一的地方，我醒了过来，只是觉得自己睡了一觉。

后来，大火车传说曾出现了一条巨蟒，于是开始被诸位家长明令禁止来这儿玩耍。后来还传说出现了凶杀案，于是这里的恐怖氛围就越加浓厚，直到最后，连叫花子都不愿意来这里躲雨。

一个地方一旦没有人气，就离死亡不远了。1997 年那个夏天结束之后，大火车从乐园沦为禁地，最终，它没有挺过春节。开春后雪化了，座椅和胶皮开始发霉，长出青苔。从此，它鲜被提及，似乎被谁悄悄从良驹镇的记忆中开走了。

我们走出大火车，前面不远处有一个天桥，我脚步飞快，林嘉被我甩在身后。

她突然快步追了上来，说道："我知道你说的淘金工厂是什么啦。"她用手指向天桥另一端一座幽闭的工厂，"是不是那里？"

"你怎么知道？"

"我猜的，因为我看你一直盯着那里看。当年录像厅外面追求我的那个男孩的情书里就夹着一把金沙，黄色的，在太阳下面会闪闪发光。"

"对，你知道那些金沙哪里来的吗？全是从那所工厂，"我指着那块有 4 米多高的巨大窗户，说，"必须沿着电缆爬到那个窗户上，然后跳到里面的运输带上，等工厂里没人的时候，才能去水沟里面捞，一下午可以捞出一大把，晒干了金灿灿的。"

"听起来挺刺激的，"林嘉从口袋里拿出一根爆珠万，问道，"你进去过吗？"

"当然，我小时候虽然很瘦弱，但是翻墙爬高是一把好手。不过里面看门的那个大叔实在是太难对抗的大 Boss，总能拿着木棍悄悄绕到我们身后，然后一脚将我们踹翻，打电话给我们父母让他们来把我们领走。"

"你被抓住过吗？"

"当然，但我咬定了我家没电话，后来耗到天黑，他下班了。带着我回镇上，在北露天菜市场还给我买了一个火烧馍。"

"温拿，你脸皮是小时候就那么厚吗？"林嘉蹦蹦跳跳地跑上天桥，云在她的背后，像一团棉花糖要把她夹心进去。

"什么叫'就那么厚'，你这话中有话啊。"

"当然，你在火车上从镜子倒影里偷看我，你以为我不知道吗？"

"这……如果你没盯着我看，怎么会知道我看你了呢。"

"喊。我不过是想知道为什么看起来挺帅气一个男孩子，会用借火这么俗的方式来搭讪？"

"随你怎么说好了。"

淘金工厂大门紧闭，铁锁锈迹斑斑。她把手中的那根爆珠万递给我，又拿出一根，我们一起点燃了香烟，靠在那扇 5 米高的大门上，彼此皱了皱眉。

"如果这里还开着门，我就能手把手给你讲讲你的仰慕者是如何给你制作一份礼物的了。"

"倒也无所谓，反正都被我哥打跑了，"她哈哈大笑，又忽然停下了笑声，正经地说道，"不过，你也应该猜到这里是关门的。就像坡上的良驹糖果厂、飞鸟毛毯厂，它们全都一个个死了过去，它们生产的东西早就被这个时代淘汰了。你还会吃两分钱一个的汽水糖吗？不会！你还会盖上面印着鸳鸯的大红毛毯吗？显然也不会！所以，这些旧工厂，你能告诉我它们继续存活下去的意义吗？"

"如果它还活着，起码可以告诉我当年视若珍宝的金砂到底是什么东西？"

"我估计是净水用的絮凝剂、聚氯化铝一类的东西。"北大硕士，真是一种可怕的物种，竟然对化学也能这么了解，难怪学历高的姑娘纷纷沦为嫁不出去的剩女。

我们抽完了烟，捻灭了烟头，回到天桥上。

"四周的确没什么风景好看的。"她抱怨道。

"那是你站得不够高。我带你去蒸汽天堂！"

她把手搭在眉毛上，顺着我的手指望去。

蒸汽天堂就在铁轨的另一侧，距离天桥大约只有 200 米。

北露天矿区澡堂。一座青色漆面的三层建筑，有着几十面硕大的玻璃，组成 3 个矩阵，一楼二楼三楼各有一个。

巨大的窗户玻璃被刷上了绿色的漆，为的是防止洗澡的工人们走光。然而风吹雨打很快让这些绿色的油漆斑驳脱落，露出一个个洞来。这些光洞对着天空、云以及空旷的矿区，再也没有人来重新刷一遍油漆。

"所以，我记忆里那些跟着我爸来这儿洗澡的画面，全都是一束束光从天上照下来，朦朦胧胧地穿过雾气，打在水面上，我总觉得自己是在云彩上洗澡。那时候，我爸总是泡在澡堂子里，只露出一张脸来，而我则光着屁股坐在池边，迟迟不愿下水。"

"对，因为水很烫，我也来过这儿。"

"你是说男澡堂吗？"

"滚蛋！"

"你们女澡堂没有水池。男澡堂里有两个巨大的浴池，一个放满冷水，像一面镜子，另一个则永远冒着热气，一头像蒸汽机一样的巨大水管插入其中。那就是我童年时的梦魇啊，一打气就咕咚咕咚地开始冒泡，水会很快烫起来。我小时候总觉得打完气后，那水的温度和沸水就只差那么一摄氏度，可是大人们却都泡在水里，头上顶着个毛巾，满脸享受。"

"嗯，当时你们应该在二楼，三楼是女浴。"林嘉看来也曾在这里洗过澡，"可是为什么你会叫它蒸汽天堂呢？"

"待会儿你就知道了。"我拉着她往楼上跑去。这里的台阶十分工厂风，水泥剥落，露出了一根根钢筋，像埋在皮肤下的血管和青筋。这条台阶附在墙面之上，离巨大的窗户并不遥远，一直盘折到三楼楼顶，还高高地耸出一层。看起来特别适合国内那些不动脑筋的时尚杂志拍摄影大片。

"像一只蛋筒冰激凌的雪顶。"林嘉说。

"是的，我的朋友崔明亮有一只望远镜，初中那会儿我们常常带着来这里偷看女澡堂。"

"看到过什么吗？"

"都怪那水太热，我们永远都只能看到哈气挂在玻璃上。夏天的时候稍微好点儿，但是玻璃实在太脏了，只能看到隐隐约约的人影。没准儿我当年就看到过你。"

"你刚才在我家不就看了吗？我看到你没闭眼睛。"

"……"我无话可说，我的确没闭眼睛。

我们爬到顶端的水泥棚子上面，那是一个斜面，斜度差不多就像初中物理小车相撞的实验。澡堂里喷出的蒸汽将这个斜面笼罩，我从包里掏出一盘 Master 的带子，塞进 DV 里面，我站了起来，将 DV 举过头顶。

整个良驹镇被一帧帧地如实拍下。窗台破碎的工厂车间，三五成群的红砖烟囱，扎向远方的孤寂铁轨，停在废弃铁路上的火车皮，棚户区改造期间翻修的灰白色楼群，以及将地表撕裂的露天煤矿。这一切都被一台 2000 年的老旧 DV 机器拍摄下来，笼罩在蒸汽天堂的呼吸里。

我和林嘉，在云端，看着这个曾经将我们高高托起的城镇，重重地枯坐在原地，渺小得如同一粒煤渣。

我忽然侧过脸去问她，你想过我会是一个有暴力倾向的杀人狂魔吗？我也不知道我为什么要问她。

她望着天空，问道，你打算怎么杀人？工农兵学商政杂，集邮式七宗罪？

我笑了笑，说，万一真的是呢。

她说，那请杀手同志讲一下。

我枕在小臂上，看着一朵路过的云，认真地讲述。

"我要去一座快要老死的城市，就像良驹镇这样的地方最好。我会先用锤头砸在一个妓女的头上，然后从她的手机里翻出第一个电话号码，将号码的所有者囚禁起来，然后将囚禁他的画面寄给一个干部，干部在报警的路上会被我抓到，挂在同一所房间。我砍下他的右手，放在出门第三个拐角的任意一家商店里，或许会是一家发廊，或许会是一家服装店，然后捕捉一位无辜的瓜农，将他整车的西瓜当着他的面砸碎，铺在房间的地面上，然后蒙上他的双眼，轻轻地割开他的手腕，在屋里的那些囚徒必须去喝他的鲜血，最后一个舔到鲜血的人，将必须完成割下角落处那名工人的喉咙这样一个任务。然后警察接到我的报案，来到这个房间，将会亲眼目睹一场爆炸。我会躲在远方，将这场爆炸拍下来，剪辑，加工，配上字幕和特效，寄给这里将近十年没有什么爆炸新闻的电视台。这是一份礼物。"

"为什么不一下将他们全部杀死呢，而是要递进式地进行呢？"

"嗯，简单地说，这是一个交互设计的游戏，迭代开发，死在云端，这是 3.0 的一个概念。"

"你是学软件的？"

"不是。"

"那你是编剧？"

"不是。"

"你是不是觉得自己是高智商反社会人格？"

"那是什么？"

"有点儿像《神探夏洛克》里的卷福。"

"哦，他很帅，我觉得他有点儿像我。"

"你想多了。在我作过的无数心理学研究里，有很多人都认为自己有多么天才。他们理想化地认为自己具有了反社会的人格，宣称自己具有高度的攻击性，没有羞愧感，做事没有计划，其实无非是为自己极度无法适应这个社会而找的借口。以我对你的观察，你完全不是，但是我觉得，你可以成为一个有趣的作家或是编剧，这些素材你完全可以写进你的小说里。"

"和你聊天真的很放松，谢谢你的心理学建议。"

我躺在蒸汽天堂，由衷地觉得她是一个好伙伴，但我还是为她的无知而感到遗憾。我心里真的有一个无法撼动的大计划。

苹果手机在我的裤袋里悄悄震动，提醒着崔明亮来电。

"走吧，我得回家了。"

崔明亮将黑色的帆布袋放在了旅馆地板上，从桌子上抱起半拉西瓜，啃了起来。

我说我从来没见过炸药长什么样子，便好奇地打开袋口，里面是一层层报纸。

他敏捷地站了起来，对着我的凳子腿踢了一脚，将西瓜籽吐到了我的脖子上，说道："日。手贱啊，别翻了，我都给你包好了，不到 20 公斤，点引信就成。"

他将炸药推到我的床板下面，说："晚上我借车给你舅送去吧。"

"不用了，明天我舅来取。"

"日，那我倒还省事儿了。你那采访如何了？"

"人定好了，时间应该在明天，地点还没完全确定，但我希望要么在广场，要么在公园。"

"日，红旗广场啊？真会选地方。广场上全他妈是练操的老太太，咋采访？"

"你不懂，明天主要是杂志拍片，广场好布灯，到时候你也来参观呗。"

"可以啊，正好我明天没什么事儿。对了，今天晚上我请付矿长吃饭，大记者去给我撑撑场面呗。"

"改天吧，我今晚上约了个朋友吃饭。"

"日，你事儿太多了。"

崔明亮吃完西瓜，西瓜籽吐了一桌子，地上也全是红色的瓜渍。

"我不给你收拾了啊。晚上结束了我电你，没准儿还得去金玫瑰。"

"到时候再说吧。"

他递来一根烟，帝豪，比昨天刚见面给我让的烟次了一档。我抽了一口，送他到走廊里，他挥了挥手，朝楼下走去。他叼着香烟，走出楼门，走进菜市场，经过卖西瓜的老段，经过拥有两个门脸的桃姐，消失在了买菜的人群中。

我抽完那根帝豪，回到房间，将门闩从背面插上，将窗帘拉上。

我从床底下翻出那包炸药，蹲坐在地上，牵出那根引信，认真地研究起来。坦白讲，我其实刚才骗了崔明亮，我从大四起就开始研究这些。我曾在一座废旧工厂里炸死过黄鼠狼，对我而言，就连定时炸弹什么的也不算是技术难题，真的很简单，那只黄鼠狼可以为我作证。

难题往往出现在睡梦中，我很快睡着了。

我梦见我在红土坡上艰难地步行，地面上堆满了过膝深的 10 元钱。我看到穿旗袍的桃姐躺在钱上，大风将她的旗袍刮起，露出了墨绿色的内裤，而那个曾被 A 杯老师扇耳光的男孩就伏在她的旁边，一点点地剥去她的内裤。他们年龄并不合适，我在梦里想。我拿出 DV，将这不堪的画面拍摄下来，我要寄给 A 杯女老师，倒不是为了刺激她，而是我不希望任何人被蒙在鼓里。我拿着录像带奔跑，从 26 岁跑回到 9 岁，那个大火车里装饰一新，我看到 A 杯女老师此刻正骑在一个肥胖的男人身上做爱，那个男人扭过来，长着一张崔明亮的脸。我喊他，崔明亮，他摇摇头，说，你认错人了，我说，我怎么可能认错你。A 杯女老师翻身从崔明亮身上下来，劝他离开，付矿长，你快跑，他是来害你的。我握着录像带，哭着说，婊子，我看过你的奶子。

然后我就醒了过来。

录像带从枕边滑了下来，掉在我的怀中，被我的肚子汗得湿淋淋的。这真是一个纠结的梦，所有的人物关系都拧杂在一起，像一条刚从包里拿出的耳机线。

为什么林嘉没有出现在这个梦里呢？我很认真地想。

我拉开窗帘，天已经黑了，挂钟显示此刻 9 点，我整整睡了两个小时。良驹镇没有夜生活，9 点已是夜深。我背上那个黑色的背包，朝红旗广场走去。

曾经的红旗广场十分光荣。

每到傍晚，良驹镇上所有的家庭成员都会来到这里，散步、聊天、处对象。

每到春节，良驹镇上所有的社火表演都会出现在这里，巨龙抢着绣球，狮子们抢着铁桩，而孩子们则抢着父亲的肩膀。

每到庆典，良驹镇上所有的领导都会出现在这里，宣布他们又从地下挖出了多少煤炭，挖煤的过程中又有多少天没有死人，而矿区人们的工资和生活水平又翻了几倍。

红旗广场永远伴着掌声。我少年时总是嫉妒红旗广场，我觉得它比我优秀太多。我唯一的一次掌声来自我的语文老师，我值日的时候不小心一屁股坐死了她养了 5 年的"玻璃翠"，她带领全班同学给我鼓完掌之后一脚将我踹飞到了讲台上，我被罚站了整整一周。

此刻的红旗广场，除了正中央的那根旗杆，一无所有，路灯将空旷的广场照得更加开阔而落寞。每天早晨清洁工都会奋力地将铺在广场上的煤灰扫干净，但历经一天后，广场必然重新回归为它最初的黑色。有时候，我会觉得煤渣才是良驹镇的血液，只有它可以无缝地出现在良驹镇的每一毫米的土地上，出现在良驹镇存活着的每一秒时间里，认认真真地记叙着这块土地上发生的一切。

我坐在旗杆下的花坛边，背后的冬青树里藏着黑色提包，黑色提包里是 20 公斤的炸药。为了更为隐蔽，我还撕折了一根冬青树枝盖在上面。那树枝被撕断时发出拟人的窸窣声，像在乞求我手下留情。其实没什么残酷的，你顶多比旁边的树枝少活不到 12 个小时。

旗杆上捆着一柄摄像机，装着一盘崭新的录像带。它将记录下明天早晨的一切。

我点了一根烟，从包里拿出一部新手机，将后盖打开，换了一张新的 SIM 卡进去，重新开机。清脆的开机音，在寂寥的广场上显得有些刺耳。

工农兵学商政杂。

我回忆了一下顺序，倒着拨打了第一个电话。

"喂，左晴，我是前天找你按摩的那个人。"

"哪个啊？每天来这做服务的多了去了，您是哪个啊？"

"我是答应替你姐姐要债的那个人。"

"噢，是你啊，钱要回来了？"

"对，我要回来了7万，你明天早上6点来红旗广场找我拿吧。"

"啊！真的吗？你怎么做到的？你打他了吗？你不会把他杀了吧？"

"你想太多了。6点，红旗广场旗杆下。"

"嗯,好的,你今晚要不要来金玫瑰,我叫几个姐妹好好招待你。"

"不用了。"

"不收你钱。"

"真的不用了。"

"你说让我感谢你什么好呢……"

我挂掉了电话，我根本不需要感谢，我需要什么连我自己也不知道。但我知道今晚左晴，当然或许她根本不叫这个名字，一定会在兴奋与期待中度过。我知道那种兴奋感，我也曾有过那种感觉，真的很美妙。

我拨打了第二个电话。

"喂，是付矿长吗？"

"我是他秘书小崔，您哪位？"电话那头一片嘈杂，觥筹交错的声音几乎带着酒气从听筒里转出来。崔明亮的声音我再熟悉不过了，尽管他压低了嗓音，带着十足的奴性，但我还是一下子就认了出来。

我也压低声音，换成了普通话。

"嗯，我是老赵。看来老付很忙啊。你转告他，录像带那事儿他再不惦记我可就帮他往上面透透气了啊。明天早晨 6 点，你让他酒醒后过来红旗广场，请不要耽误一分钟，否则后果自负。"

"啊……你是谁……这……我问问……"崔明亮在那头显得十分局促，我怀疑此刻他的酒已经醒了几分。

我挂掉电话，根本不知道有没有老赵这个人，也不知道有没有录像带这回事儿，但我盯着放在我旁边的 DV 机，觉得这个电影感十足的由头并不算太烂。

我拨打了第三个电话，说了 10 分钟，桃姐还是说她并不认识一个姓付的公安局局长。我说，你不需要认识我，但你如果不想让你那家挂羊头卖狗肉的美发店被贴上封条，或者不想让爱坐在假货堆里吃瓜子的胖妹妹被治安拘留的话，最好还是明早 6 点带着 3000 块钱来一趟红旗广场。桃姐声音略微发颤，问我为什么要在红旗广场而不是派出所，我冷冷地说，去了派出所，我还能把 3000 块揣进我自个儿的腰包里吗？她终于在第 15 分钟时犹豫地说了一个"好"字，当然她也可以在第 20 分钟打给派出所报警有人诈骗，但我相信一个商人的自我修养。

"明早 6 点，旗杆下面，不见不散。"我的措辞始终那么文静而优雅。

我口袋里的苹果竟然响了。

崔明亮的短信："我领导这边出了点儿事，明天我得陪他去办事，就不去看你拍片了。另外，建议你选择公园拍摄，广场我觉得不适合拍照。"

看着这条短信，我默默觉得崔明亮对领导简直是真爱，有人为领导送礼，有人为领导送女人，他为领导送命。看来我待会儿不需要再打给他了，我想，如果领导明天下午还活着，一定会提升他为正科级的，当然，如果他也还活着。

"没事，拍摄取消了。"我按下短信发送键。

接下来，按照顺序，我要打给一个学生，她叫林嘉。

北京大学心理学硕士。好一个大学生。

我拿起电话，看着林嘉的号码，我存的姓名是"红色打火机"。我拨了出去，又迅速地挂断了，我仔细想了想，算了，我先打给"农"

和"兵"。

老段热情地答应了明早 6 点来红旗广场旗杆下给剧组送一车西瓜的要求。他在电话里有些激动，说他从来没有看过拍电视剧，并请求我可不可以卖完西瓜留在这里多看一会儿。我这么好客，当然答应了他，我甚至还答应给他一个群众演员的角色。他在电话里絮絮叨叨地说他的儿子就在北京的传媒大学学表演，可惜这个暑假没有回来，不然一定让儿子来看我拍电视剧。我说没事，你明天把他的电话给我，我回北京了就找他拍戏，老段激动地说，谢谢你了，姜导演。

我说，不客气，便将电话挂掉了。我很喜欢姜文，我在现实生活中表达了我对他的忠诚。我从来都是个忠诚的人，即便我在撒谎编一个姓名的时候。

最后，我拨打了 110，这是一个并不好接通的电话，中间甚至还夹杂了一段广告。

一个清脆的女音接了电话，普通话说得并不标准。

"你好，红土坡派出所接警，什么事？"

"日，明天早上 6 点，我们厂子有人要上街游行。"

"先生，请问，这是从哪里得到的消息。"

　　"我们厂今年降温费拖着没发，今天下午车间里几个工人商量好了，说要去红旗广场游行。操他妈的一群疯子！"

　　"先生你先不要着急，您可以把当事人电话给我吗？或者您现在可以来所里讲一下情况吗？"

　　"日啊，他们知道了得丁死我啊。我只能说这么多了，据说还要打出反党反社会的标语啊……"

　　"先生，您可以保证信息可靠吗？"

　　"妈逼啊，我是党员，我用党性保证，所以我才打电话报警呢。我建议你们明早6点可以去红旗广场蹲点，他们今天说要在旗杆那儿开始集合游行。"

　　"先生，请问……"

　　我真的不喜欢她管我叫先生，我在话语里夹了那么多脏话，就是为了塑造一个40岁的底层煤矿工人形象，她一口一个"先生"，让我的精心安排打了折扣。于是我将电话挂掉了，为了维稳，我相信他们明天会按时出警。

　　工农兵学商政杂，最后的最后，只剩下学生的部分。

　　我拿起电话，一个数字一个数字地按着按键。

　　我策谋这个计划用了三年，而现在，在计划前最后一个晚上，我竟然开始犯起了拖延症。

我按下了绿色的 Call。一生中最短暂又最漫长的 20 秒。

"喂，你好，请问是哪位？"

"我，那个，是，学生家长，想送孩子，呃，去你的，呃，心理辅导班。"我或许并没有自己想象中那么擅长撒谎，我结结巴巴，恨不得在每两个词语中间加上一个表达我恐惧的词语。

"温拿，是你吗？"天哪，她一下子就认出了我，认出了我的声音。我呆呆地拿着手机，枯立在广场中心，旁边站着一根光秃秃的旗杆。

"我想见你。"我选择说真话。

"那你来吧。"她语气坚定。

良驹镇难得的晴夜，旗杆、月光、云影，近视的我忽然觉得眼前的一切都分外清晰。我沿着旗杆的倒影，从根部跑向顶端，然后踩着那些淡淡的云影，跳跃起来。我甚至觉得脚下的引力开始变小，我越跳越高，成为良驹镇第一个登上月球的宇航员。这是我的一小步，却是良驹镇的一大步。

我在红旗广场的旗杆下启动，朝着红土坡 14 号，奔跑起来。身后的路灯一根根熄灭，我只是朝前奔跑，我没有回头，也不能回头，我只剩下一盏灯了。我要保留下来。

我上一次在这里奔跑还是 2003 年，高一全体团员在这里开一个名为"告别网吧"的宣誓大会。我们举起双手，拿着一页打印件，兴奋地说："我以一名共青团员的名义宣誓，好好学习，天天向上，决不出入网吧等危害青少年的娱乐场所……"话音落卜，掌声雷起，我和崔明亮借着喧闹，从队尾逃出，以一名共青团员所能迈出的最大步伐，奔向良驹镇最大的黑网吧。

时隔十年，我再一次向着目标奔跑。

"人但凡有了目标，就会事半功倍。"这是我中学作文里最爱用的一句话，也是我曾经最相信的座右铭。我靠着这座右铭一次次逃出中学的高墙，又靠着它成功考上了大学；我靠着它在大学里一次次地挂科，又靠着它成功地拿到了学士学位；我靠着它一次次睡到漂亮的姑娘，又靠着它一次次地从睡过的姑娘身边全身而退。

我靠着这句座右铭一次次获得我本不该得到的东西，直到有一天我开始怀疑这句话，因为我失去了目标。这不是一句垮掉的一代式的矫情宣言，是真真切切的，我就在大学学士学位的授予仪式上忽然失去了目标。

校长将我帽子上的流苏从帽檐的右侧拨到了左侧，我看到我坐在台下的时任女朋友竟然和我的好哥们儿悄悄牵了一下手。人的眼睛是一台上帝赋予的高速摄像机，哪怕只是万分之一秒，该是你的画面，无论好坏，你都会看到。

我甚至都没有觉得生气，这也绝对不是我失去目标的开始。

我只是觉得，好吧，我的学生时代结束了，请让我孤身上路，去完成一个大计划。我不是一个张扬的人，我继续认真地工作，认真地攒钱买房买车，认真地睡每一个我遇到的姑娘，甚至认真地想着三年后的一天，我会回到良驹镇，给它一个炸裂级的礼物，big surprise。

可现在，我做到了吗？

林嘉打开门的一瞬间，我们就吻在了一起。就像广告片里那些电光火石的热辣画面一样，我们一边吻着，一边脱着，一边朝屋里移动着。我曾经以为这些桥段都是导演对罗曼蒂克的意淫，但到了现实中我才知道，巨他妈罗曼蒂克。

夏天，那一两件不耐脱的衣服就那样被我们无情地抛下，我们赤身裸体地爬上楼梯，像两只受惊的壁虎。我吻着她，她一句话也说不出来，她只能发出吃力的喘息，来自喉咙，来自气管，来自肺管，来自皮肤上的每一颗毛孔。她的长发钻进我的指缝里，像一条条寻到干净墙体的爬山虎。那一对小巧的 A 杯乳房，躺在那美丽人体的最顶部，充满着自信，它们俩告诉我它们根本不需要我舌尖的抚慰，现在唯一要做的就是绷紧全身的肌肉，来干我。

我伏在她的身上，每一击都恨不得用去整颗心的力气。频率、时间、力，这些外在渐渐被她所雾化，我像一叶在太平洋中央，正在一圈圈被拖入旋涡深处的小舟。或者我逆流而上逃回海面，或者干脆让我一头扎进那深邃的海底。而现在，我无力求救，一圈圈地，无法自控地，任由她天性地将我吞噬，慢慢地吞噬。

而她，或许在享受吞噬我的过程。

我终于还是被她拖到了海底。小船全力砸在海底的岩体上，船头被卷起的岩石紧紧包裹，泥浆翻涌，海藻横流，贝类碎裂，一片混沌。我的视野一片模糊，白色的小鱼群像一面坠地的镜子一样炸裂开来，从小船里游了出去，藏匿在海底的每一个缝隙里。

我射了。

她紧紧地抱着我，眼睛像浸在海水里一样朦胧。

她吻了吻我的眼睛，温柔地说道："温拿，我爱你。"

我说："林嘉，其实，我身份证上的名字叫陆瑟。"

她没有像别的女孩那样一跃而起，吼道"你他妈的骗我"。也没有像另一些女孩那样只是皱皱眉头，说道，嗯，不错，两个好听的名字，虽然听起来都像假的。她只是正儿八经地说了一句："陆瑟，我爱你。"

她明白谎言与真实的边界，竟也轻松触摸到一个男人的内心何时开始萌芽，我试探性地说了一句"林嘉，我也爱你"。

我们赤裸地躺在地板上，牵着双手，沉默地享受着同一个夜晚。

"刚才，就像一场爆炸。"她忽然吐出一个比喻句，说得很认真，甚至让我觉得她已经知道我的计划。

"是吗，什么爆炸？"

"炸药在心里，引信在嘴里，然后砰的一声，将我们炸成了一个人。"

人们都说文艺女青年是世界上最恶的类群，可当一个文艺的比喻句用认真的语气从林嘉的嘴里脱口而出的时候，我觉得是那样动听。我已经多久没有听过动听的情话，我已经多久不信情话，我已经多久只是沉溺于一场我给自己计划的良驹镇大爆炸之中。

我曾坚持地认为，这场爆炸将是我用最大的声音说给良驹镇的情话。而当我使劲儿去和一个我才认识三天的女孩做爱之后，我才意识到，我曾经在脑海里给自己描摹的良驹镇早已是一座死城，冲它说出再大声的情话它也不会听见。

眼前这个与我曾毫不相干的女人，不废一肉一血，不碎一砖一瓦，仅仅拿着一枚红色打火机，往我身体里做了一起如同出自上帝之手的爆炸案。

我站了起来，向楼下走去。

"你去哪儿？"

"打个电话。我刚才在红旗广场看到有人放了一颗炸弹。"

废墟之中的我，看着正在渐渐复苏的良驹镇，一如少年。

11　　酒

"北京的夜可真浓。"

陆瑟自言自语的时候，并没有想到浓浓夜色和爆表的空气指数有关。他是个酒鬼，只熟悉一切含有酒精的饮品。他刚从酒场上回来，嘴里呼出的酒气上升到眼睛，看什么都是模糊的。如果你质问他酒气怎么会熏到眼睛，他会告诉你"热空气是往上走的，这个我知道"。

茫茫大雾里，陆瑟的声音小得像路口的信号灯一般微弱。看不见也听不清，真是一件令人头疼的事情。

如果不是打趔趄的时候忽然感到有人拽了他一下，陆瑟甚至没觉察身边还有一个人。这是一个他不记得从第几个酒场上带出来的姑娘。他想了想晚上的行程，喝了酒吃了麻辣烫唱了歌，当然吃脏串儿和K歌这两件事中也贯穿着酒，这毋庸置疑。至于三件事之间的衔接部分，他果断地断篇儿了。

陆瑟扭过去看搀扶他的人，看不清。这时候他开始抱怨起大雾来了。陆瑟下意识攥了一下手，天哪！他竟然牵着个姑娘。陆瑟有点儿酒醒了，他讨厌和姑娘牵手，尤其是一个无名氏的姑娘，更何况还是十指相扣的方式。

"三里屯？"

"别了，去了也是我扶你。"

"要不，去我那儿？我那儿也有酒。"

姑娘从鼻腔里发出哼的一声。

"要不，去我那儿？"是男人们习惯性的用法，从来都并非一个疑问句。如果非要归类，这算是"试探句"。然而对于一个在凌晨 2 点 14 分牵着你的手走在东四环辅路的姑娘来说，这个试探句用在这儿都显得不合语法。至于这个大多姑娘都能发出的"哼"的一声，陆瑟也不是第一次听到，有一点儿像鄙夷，也有一点儿像鼻炎。陆瑟抬头看了看漫天迷雾，心想，这次就算是鼻炎好了。

姑娘伸开右手，不远处刚放下乘客的出租车司机打了下灯，示意马上过来。放下人，出租车就冲了过来，连轴转地接人，对开夜车的师傅算是好福气，更何况在东四环。

姑娘打开车门，要跨进车去。陆瑟忽然像是想起了什么，一把拉住了姑娘，先一屁股坐了进去。然后扶了下毛绒帽子，对姑娘说，进来。开始打表的时候，陆瑟看着雾花了的车玻璃说："以前看过一个新闻，女生先坐进车里，出租车就迅速地开走了，然后抢劫强奸，抛尸野外。"

陆瑟看到后视镜里的出租车师傅皱了一下眉头撇了一下嘴角，一副欲怒又止的样子。网上有很多传说，说北京的出租车司机无所不知，从敏感词到敏感词，像政客一样如数家珍，而这个点儿的他们则更像中国政客，沉默，甚至常常会打瞌睡。

姑娘听完陆瑟的话，发出哼的一声。陆瑟想，她的鼻炎又犯了。姑娘紧接着靠在他的肩膀上。陆瑟忽然觉得好笑，一则假新闻竟然还有泡妞的功效。

接吻不知道从什么时候开始，反正陆瑟从来没有口臭，不用担心太多。他遇到过口臭的姑娘，而且长得完全没有口臭的征兆。那种感觉，就像两个人凑在一起吃一瓶老干妈。陆瑟很不喜欢老干妈，所以也很反感突如其来的吻。陆瑟的心思完全没放在这个漫长的吻上面，他歪着头想看看司机有没有在偷瞄，但是被姑娘的长发遮住了眼睛。他倒不是害怕司机偷看，毕竟开车的时候注意力不集中是件危险的事情。他见过车祸现场，所以他很讨厌在车上司机和自己讲话，更讨厌开车。当然，他也不会开车。

陆瑟低下头，他才注意到她穿了一条短裙，蕾丝的黑色丝袜，里面并没有套秋裤。他用手摸了一下那条蕾丝丝袜，和他想象的一样，并没有很厚。姑娘顺势把腿张开，可是陆瑟的精力竟然全部放在了姑娘的健康上。"这样穿，一定是会得老寒腿的。"陆瑟的脑海里忽然开始盘旋起这句话来，这是当年陆瑟带女朋友回家过年的时候，陆瑟的妈妈一直说的。

　　陆妈妈不喜欢陆瑟的女朋友穿丝袜，自然也不会喜欢陆瑟小腿肚上的文身。所以陆瑟只要回老家，就算是夏天，也会一天到晚穿着长裤。他的小腿上文着《基督山伯爵》里的最后一句话——"人类的一切智慧包含在四个字里：'等待'与'希望'"，用拉丁文反着文在那儿，几乎所有和他上床的姑娘都会问上一句，这句话是什么意思呀。而陆瑟的答案千篇一律：这里写着我未来的墓志铭。

　　打开家门的时候，屋里的暖气像春天一样喜人。陆瑟脱掉厚重的呢子大衣，第一次觉得家的感觉真好。陆瑟打开热水器的开关，转过身，还是回归到了健康问题。

　　"你穿这么少不冷吗？"

　　"我蕾丝控，一年四季都这么穿。"

　　"是吗？"

　　"不信啊？我的蕾丝 bra 可更好看哦……"

　　陆瑟推了推眼镜，的确，女孩子的胸型很好看。文胸这种装置的所有价值，从来都是依附于主人的乳房的，再好看的胸罩，摊平了也不过是两块连在一起的布片而已。陆瑟起初真的是关心女孩冷不冷，可却没想到这一问从关切变成了挑逗。陆瑟想，反正屋里也这么暖和，既然已经偏离了健康问题，就将错就错吧。

热水器在卫生间咕嘟咕嘟地发热，卧室里却灭了灯，陆瑟和姑娘都已经忘了睡觉前洗个热水澡是多么健康。

"啪。"

台灯被打开，光线照在床头柜上的一大摞书上，显得很有生活的厚重。

从被了中坐起的陆瑟露出头来，脸一半被罩在光线里，显得半阴半阳。陆瑟不高兴。

"我真来姨妈了！"

"……"

"真的，不骗你，不然，我可不会放过你。"

"……"

"要不，下次呗。"

"……"

"我可以用嘴。"

陆瑟完全没有心情地看着被子里无法被光线照到的姑娘，他摘了眼镜，就像个瞎子。而现在，他更是什么都看不清楚。他拽住了正在吻下去的姑娘，就像揪小鸡一样把姑娘揪了上来，放在臂弯里，说：“睡觉吧。”

姑娘吻了吻他的小臂，点点头。这时候，他看到她噘了一下嘴。陆瑟不喜欢女孩在他这不高兴，他觉得这是对自己的不尊重，于是他关掉台灯，埋下头去，给了她一个长长的吻。

黑暗里，陆瑟一直在想，一个来了大姨妈的姑娘为什么要跑来自己这里。陆瑟思考起来总是没完没了的，在他漫长的思考里，姑娘已经睡着了。陆瑟喜欢安静睡着的姑娘，因为这时候他才会觉得这个睡在他臂弯里的人，是百分百属于他的。以前他可不这么认为，以前他觉得高潮的时刻是最真实的。女孩子高潮的时候，会咬他抓他骂他，给他身上留下一道道的血痕。可是等血痕消了之后，他常常记不得那个女孩叫什么长什么样。

陆瑟抽出胳膊，蹑手蹑脚地下床，他没有开灯，怕吵醒姑娘。他记得冰箱里还有一罐 500ml 的百威，可是打开冰箱，却发现什么也没有。再没有比这更令人抓狂的事情了。陆瑟爬回床上，再一次把姑娘抱在了怀里。姑娘睁开眼，说：“别喝酒了，睡吧。”

“你怎么知道我要喝酒？”

“因为我也想喝了。”

"别喝了，我抱你睡。"

"嗯。"

姑娘很快再次睡着了，酣甜的呼吸声在陆瑟耳朵里开始显得有旋律起来。陆瑟下意识地贴在了姑娘的脸颊上，姑娘的呼气带着一点点涔涔的酒香，很好闻。想想外面的浓雾，陆瑟觉得自己真是幸福死了。陆瑟忽然想起了聚斯金德的《香水》，脑海里开始盘旋什么方法可以把这种香味收集起来，但又隐约觉得小说里的年轻人还是有点儿变态。他在想其他的方法。

思考会催眠，陆瑟快速地进入了睡梦，他很久没有这么早入睡了，尽管北京时间已经凌晨4点半了，但对于陆瑟来说已经很早了。

陆瑟做了一个冗长的梦，梦里姑娘穿着一条带蕾丝的秋裤，的确不那么好看。

12　电话亭

陆瑟打开公寓的门，疲惫的脚步像蹚过一片深及脚踝的雪地。他脱掉大衣，随意扔在沙发背上，便立刻有一股寒冷袭来，这是他婚后搬来这里的第七周，供暖中心依旧没有把暖气送到。"再拖下去冬天可就过完了"，陆瑟气急败坏地对着供暖热线吼道。"真的很抱歉，留下您的地址好吗？我们明天一定会派人去看一下的。"接线员甜甜的女声让陆瑟的投诉像一记打在棉花上的拳头。

陆瑟去衣橱里拿出一件松松垮垮的咖啡色套头衫，套在衬衣之上，衬衣领子露在外面，像溢出的奶泡。陷在沙发里的陆瑟百无聊赖，他搓了搓脸，又理了理头发，竟然发起抖来。陆瑟打开电视，除了足球赛和斯诺克，电视机对他的唯一用途就是让家里显得有那么点儿人气。新闻里播放着发生在遥远美国的校园枪击案，两个专家坐在那里为是否应该禁枪争得面红耳赤。电视节目让陆瑟的心情更加糟糕，他正陷了一场同样的焦虑。他所在的城市一周前也发生了一起校园凶杀案，只不过凶手用的是菜刀。尽管菜刀实名制已经实施了很多个月了，但依然有 22 个小孩子被一把驽钝的菜刀依次砍杀，肿着眼泡的学生家长们天天堵在公安局门口，举着谴责警察渎职的大字报。

警察是陆瑟的职业，也是击溃他的那一拳。上上个月，他正在武汉跟组办案，被案情搞得焦头烂额的他专门跑到公司门口给妻子买了一斤正宗的周黑鸭，但这于事无补，妻子还是在电话里跟他说了离婚的事情。妻子要分手的原因很简单，他的工作危险性太高，而且常常不在家，甚至忙到忘记她的生日。陆瑟无话可说，回来后就签了离婚协议。手里的结婚证变成离婚证的那一瞬间，陆瑟觉得警察真不是什么好职业：处事果断这样的职业病既可以让他抓到歹徒，也可以让他抓不到爱情。他第一时间打电话给父亲，电话那头沉默了很久很久，然后是一声叹息："抽空回家吃个饭吧。"紧接着，就是母亲抢过电话后带着哭腔的控诉："说了让你早点要孩子，你非不听，现在好了吧……别难过，妈去给你做饭好不好……"

陆瑟关掉电视，挑了一盘 Owl City 的碟子放进 CD 机里，这张盗版唱片不停地卡碟，反而像是故意做出的音效。陆瑟起身走到阳台，点起一根中南海，大口抽了起来。在寒冷的空气里抽烟，会有淡淡的昏厥感，陆瑟迷恋这种感觉，或许是他天真地以为昏厥后就是重生。其实才不是呢。离婚后的那几天，他每天叫上几个朋友，去工体喝酒。喝到自己两腿松软，双目模糊，天地旋转，他吐在卫生间面盆里，吐在舞池中央，还曾吐在带回家的女孩的胸口……第二天醒来，根本没有新生的感觉，反而像打了一场精疲力竭的飞机。

　　陆瑟在阳台上四处张望，其实也没有什么好看的，无非是一些遛狗的老太太和一些下班回家的情侣。这是一个新建的欧式小区，根本没什么太旺的人气，但在地产商的文案中，这里可是东方的巴黎。当然是东方，北京的东方是通州，而这个小区又位于通州的东方。楼下每隔几十米就矗立着一座红色的电话亭，这些电话亭本身十分精致，红色的圆顶和四面通透的落地玻璃，还有雕花的门把手，可是它里面根本没有一部公用电话。"住完这个季度就搬走。"这些装饰性的设施让陆瑟觉得智商受到了侮辱。

　　在陆瑟打算收回四处游荡的目光回房间的前一秒，他注意到了离窗户最近的那座电话亭。似乎有什么人待在里面。分不清是好奇感还是职业病，陆瑟快步跑回了书房，从抽屉里翻出了那台Bushnell望远镜。这台望远镜曾帮他监视过一个传销窝点，那次破案是他在局里立下的处女功，获得了上面的各种表彰，可是自己掏腰包花的钱到现在局里还没有给他报销，说是经费不足让他等等。他清晰地看到一个穿着一件红色大衣的女孩，梳着干脆的马尾，靠在玻璃上，手里拿着一根香烟，偶尔抽上一口。热哈气让电话亭显得有些雾蒙蒙，陆瑟看不清楚她的模样。你不得不承认，有时候凭姿态你就可以确定你对一个人的好感，陆瑟弯下身子，试图找到更好的角度。他想看清她。女孩从电话亭中走了出来，把烟蒂弹向天空，紧了紧大衣，消失在了拐角。

　　安装一部无线偷拍器只花去了陆瑟 10 分钟。这个偷拍器只有打火机大小，卖器材的人告诉陆瑟说有 1200 万的像素，能连续工作 16 个小时，最重要的是可以录像后自动传送回预设的邮箱。陆瑟也想不明白自己怎么有这么大的热情，请了整个上午的假直奔数码市场，花 2600 元买了这部偷拍器，然后装在这座和小区里其他电话亭完全没有区别的红房子里。人是固执的动物，总会相信直觉，陆瑟安慰自己女孩会再次出现的。

　　装完偷拍器，陆瑟去吃了一份蛋炒饭，急匆匆赶回了警局。看到门口那些举着标语的家长，他忽然觉得这个世界有太多罪犯，自己永远也抓不完。临下班时局长召集大家开会，足足开了 4 个小时的会，抓捕校园凶杀案罪犯的方案讨论了不下几十种，陆瑟却心不在焉地想起了《发条橙》里亚历克斯和猫夫人打架的画面。陆瑟在笔记上潦草地写着库布里克说过的话"我发现罪犯和艺术家有一个共同的特点——他们不喜欢生活本来的样子，任何悲剧都是跟事实本来的样子相冲突的东西"，还画了一条大大的男性生殖器。陆瑟此刻只想快点儿回家。

12 点才回到家的陆瑟连忙打开电脑，邮箱里果然躺着一个视频文件。他甚至有些颤抖地点下了播放键，快进到 10 点左右的时候，他发现自己这次真的捡到一个惊喜。女孩竟然还是去了那座电话亭抽烟，穿着昨天的那身红色大衣。不得不说，总会有那么一类人，他们在咖啡馆喜欢点同一种咖啡，在图书馆喜欢坐同一个位置，去电影院也要坐熟悉的那排。陆瑟觉得自己找到了同类，自己之所以搬到这套公寓的最大原因也是这儿和离婚前自己住的房子有着完全相同的户型。女孩仰起脸，镜头恰好对准她弯弯的月牙般的眼睛，她吐出烟雾的时候眼神里充满了性感的慵懒、暧昧或是一种不羁，还有她嘴唇上涂着的粉色唇彩，就像趴在饭团上的三文鱼片一样新鲜。"Hello，Sushi。"陆瑟笑眯眯地对着屏幕打招呼。

短短半个月，陆瑟没有想到这就会迅速成为自己的一个新习惯。下班、打开电脑、看录下的视频、去阳台，然后望着那个空荡荡的电话亭抽一根烟，再去睡觉。女孩就像上帝送给陆瑟的礼物，10 点准时出现在电话亭抽烟，10 点半离开，偶尔望一眼偷拍器挂着的位置，含情脉脉。陆瑟甚至幻想自己可以在某一天，出现在那个电话亭里，占据她的位置，等她来这儿抽烟时与她邂逅，然后相恋。陆瑟甚至想到了和女孩在电话亭里做爱。这样的习惯让他觉得安全，在此之前，他觉得自己离这种安全感已经很远很远了，他曾用结婚证来试过永久性地获得这种安全感，却失败了。

他想，自己这次一定是遇到爱情了。

有天，陆瑟在小区超市买烟的时候竟然碰到了她和一个男生。陆瑟像一只掉在火炉上的猫咪，一下跳到好远，隔着货架悄悄地偷看着。女孩和男孩一前一后地走着，甚至连话都没说几句，但此刻的陆瑟却吃醋得要死。爱情总是这样，轻而易举就能让一个人变成惊弓之鸟。"必须抓紧时间了，我一定要认识她。"陆瑟暗自给自己加油。

陆瑟请了一整天的假，他有一个大计划。他买了一束花，在写祝福卡的时候他却犯了难——还不知道她的名字。这束花是用来晚上向她求爱的，尽管她还不认识他。陆瑟的预感告诉自己一定会成功的，因为自己太了解她了——她每次连抽 3 根烟，有时候抽黑色装的圣罗兰，有时候抽绿色装的爱喜，抽第一口烟的时候会皱眉头，抽第三支烟的时候会下意识地咬指甲，抽完烟还会吃一个口香糖。

终于熬到了 9 点 50 分。陆瑟早早就换上了帅气的西服，对着镜子百般打理。可这时，"叮咚"，门铃响了。陆瑟从猫眼里看到，妈妈竟然毫无预告地来了，提着一个保温饭盒，不出意料，里面装着一份炖好的汽锅鸡。陆瑟的妈妈最近总是来给他送这个，说是怕他离婚后营养失调。陆瑟讨厌自己被当作一个婴儿对待，仿佛自己永远断不了奶，陆瑟气呼呼地把花束藏进了卧室，打开了房门，迎接一个"灭 High 王"妈妈。

"听说你请假了，是不是情绪不好。这是妈刚炖的汽锅鸡，你快来喝了。"陆瑟的妈妈走进客厅，把饭盒放在餐桌上。放下饭盒的母亲似乎并不着急离开，坐下来，絮絮叨叨地盘问起陆瑟最近的生活来。陆瑟心不在焉。他的心早就跑到了楼下，甚至没有坐电梯，就从楼上径直飞卜去了，绕着红色电话亭打圈圈。等到终于劝走了母亲，陆瑟看了下表，已经 10 点 35 分，他意识到女孩一定已经离开电话亭了，便在心底失落地埋怨起母亲来。

"只好明天再去见她了。"陆瑟一边在想明天鲜花会不会凋谢，一边习惯性地打开电脑，邮箱里像往常一样躺着一个视频。陆瑟点下播放键，快进到 10 点左右的位置，女孩却并未出现在屏幕中。陆瑟怅然所失地看着空荡的电话亭，点起了一根香烟，似乎是一种替代。10 点 15 分，女孩出现了，穿着红色的大衣，却是和平时完全不同的场景，她更像是跌跌撞撞地被甩了进来。香烟带着火光掉在了地面上，紧跟着挤进来了一个穿着白衬衣的男人。噢，天哪！他右手捂住了女孩的嘴巴，右臂顺势把她抵在了玻璃上，他的左手快速地解开了她的扣子。女孩的衬衣被扯开的一瞬间，陆瑟惊骇地长大了嘴巴，眼睁睁看到女孩子黑色的文胸被扯到歪斜。

白衬衣撕破了女孩的丝袜和内裤，女孩像壁画一样被死死地钉在玻璃上，双手无力地推搡着。陆瑟想奋力去看清白衬衣的脸，可是凶手始终没有面对过摄像头。而女孩瞪大的双眼却一直望向陆瑟，性感、暧昧、慵懒、不羁，之前所有的美好这时全都没有了，都像烟圈一样消散了。女孩甚至叫不出声，只能听到白衬衣撞击她的时候她的屁股拍打在玻璃上的声音，一下，一下，一下，一下……直到一刀插进腹腔里的闷闷的声音，然后白衬衣就消失了，女孩沿着玻璃，像一块肉一样滑倒在红色电话亭里，望着陆瑟安下的那个偷拍器。声音忽然嘈杂起来，一只大手伸向屏幕，整个屏幕变得漆黑。凶手摘掉了偷拍器，他一定是一开始就发现了这个偷拍器，不然怎么会在整个强奸的过程中都没有露出脸来。

这是一场眼皮底下的强奸，当着陆瑟的面，当着一个警察的面。陆瑟或许是愣住了，瘫坐在屏幕前，或许自己早一点儿去那儿，就是一场爱情代替了杀戮。陆瑟打翻了旁边的那碗汽锅鸡，发疯一般地冲向阳台。外面刚刚开始下起雪来，红色电话亭第一次聚集了那么多人，那些遛狗的小区居民一边看着或许是他们这辈子唯一见过的一次血案现场，一边等着警察的到来。

陆瑟的电话响了起来，是妈妈打来的。

"儿子，外面下雪了，要不待会儿我和你爸去给你送汽锅鸡好不好？"

"不用了，出事了，我得去办案。"

陆瑟脱下带血的西服，换上警服，朝着雪中的案发现场——那座红色电话亭走了过去。

13   预言家

小说集只剩下最后一篇故事就可以交稿了。

这部小说集拖了他大半年的光景，从 1 月写到 8 月，苦不堪言。拖延症真的是一种很玄的东西，如影随形。每当他拖延的时候，他的编辑都会打来电话，你再不交稿我就发你裸照了啊，你再不交稿我把你身份证照片发到网上去了，你再不交稿我就报警了啊。

青年陆瑟查了一下小说字数，不出意外的话，今天晚上只需要再加最后 3 个小时的班，就轮到他催编辑了，一校出了没？二校出了没？封面设计好了没有？营销方案出来了吗？样书什么时候印好啊？

想到这里，他美滋滋地盘腿坐在转椅上，撕开一包薯片，吃了起来。电视里放着欢快的广告，开心就要咯吱咯吱。

确实是值得欢快的事情，编辑说，这本书一定会特别好卖。因为在网上，这本书已经被炒得沸沸扬扬。

其实说来陆瑟也觉得羞愧，他不过是恰好写了几篇漂亮的凶杀案，并把小说发到了博客上。而读者们觉得最为神奇的地方在于，他的小说中描写的情节，总是和真实的案情惊人的相似，而且，比真实的案情报告还要更早出炉。

他先是写了一起为情所困的顶楼爆炸案，谁知道那篇文章发布

214

12 小时后, 在上海的一栋高楼上就真的发生了一起完全相同的案件。那个凶手将炸弹藏在自己的棉衣里, 当着女友的面把自己炸成了一朵烟花。在陆瑟写完一个因社交障碍而精神分裂的胡同分尸案之后, 北京的南官房胡同还真的就发生了一起完全相同的案件, 嫌疑犯的微博上写着"没人爱我, 那我不如和尸体跳舞"。

最让陆瑟在网络上一炮而红的, 还是那篇关于蓝可儿事件的小说。陆瑟当天和所有的普通网友一样, 在电脑前点开了被曝光的电梯灵异视频, 然后被吓得打开了房间里所有的灯。陆瑟颤抖着双手在电脑前敲出了一个被男友药物致幻最终把自己想象成一只水母溺死在水箱里的故事, 谁知道三天后洛杉矶警方真的在水箱里发现了蓝可儿的尸体。

网友们称呼陆瑟为"陆上帝""预言家""作家版死神来了", 一旦发生什么刑事案件微博粉丝们齐刷刷地"@"陆瑟, 甚至还有不少恶搞者天天发私信给陆瑟请他帮忙在小说里写写下期彩票号码, 这让陆瑟饱受困扰。

陆瑟打开 QQ, 告诉编辑今晚就可以交稿这样一个好消息。

编辑发来一个笑脸, 说, 恭喜你啊, 预言家。

别叫我预言家了。再这样碰巧下去, 我怀疑下一个找我的就是公安局了。陆瑟不满地跟编辑发着牢骚。

这时候，门铃响了，陆瑟趿着人字拖，朝房门走去。

当一男一女两个警察站在门口的时候，陆瑟简直不相信自己的眼睛。

"你好警官，有什么事情吗？"

"陆先生，你知道吗？昨天在燕郊的一个小区的电话亭里，发生了一起强奸杀人案。"

"Oh Shit"，陆瑟嘟囔道，他咋天刚刚在博客发了一篇完全类似的小说。看着面前的两个警官，陆瑟也不知道自己该说些什么为自己解释。

"陆先生，您不要误会，我们不是怀疑您是凶手，但这一切真的会让人觉得你或许跟这些案件有某些联系。"

"天哪，我昨天一天都在家写小说，我的编辑可以给我作证。我怎么可能和这些杀人案有联系呢，我从小连杀鸡都不敢。"

"你觉得，会不会有你的某个狂热粉丝按着你的小说情节作案呢？"陆瑟忽然觉得面前的这个女警察看上去斯斯文文，怎么想象力跟吃了摇头丸一样奔放呢。

"不会吧，我写这些故事之前，微博上也就几千粉丝，哪里会有人认识我啊，更别说狂热粉丝了，我又不是列侬。"

陆瑟看着女警的眼睛，忽然觉得她瞳孔里一直在滚动播放一排字幕：坦白从宽，抗拒从严。公安机关审讯 ing……女警察脸上一点儿微笑的意思也没有，她说："陆先生，那你猜现在凶手会藏在哪里呢？"

"我操，"陆瑟挠了挠脑袋，激动地说道，"你们不能真把我当预言家了啊，就跟我能预言下一秒会有电话打进来似的，这不可能……"

丁零零！零！零！零！零！零！零！零！零！零！零！零！零！零！

女朋友林嘉竟然这个时候打来电话，简直是帮陆瑟直接登上了"反人类反科学超能力黑名单"。

"干吗呢，我跟警察谈点儿事，待会儿再打！"陆瑟对电话吼道。

"陆先生，你也别生气，仔细回想一下这几天发生的事情吧，有情报随时打给我们，好吧？这是我的电话号码。"

陆瑟拿着电话，看着两位人民警察的背影，陷入了极度的郁闷中。

陆瑟坐在沙发上，想着这一系列巧合，他甚至开始有些怀疑自己了。

他突然想到一个好方法。

假如，我写一个杀死自己的小说呢？

陆瑟打开电脑，认真地敲下第 13 个故事的标题《预言家》。

陆瑟咬着手指，开始认真观察起房间的构造来。

自己住在 13 层的小高层，高空坠亡这种桥段还是轻易不要写为妙；入室谋杀这种可控性完全不在自己手里的情节也不去触碰，最近小区治安的确不好，万一写着写着真破门而入一个杀人狂魔把自己捅死了那得多惨；自己为了写书已经两天没有洗澡本打算今晚泡个澡呢，热水器触电、溺亡、跌倒死这些桥段一律 Pass 掉。看着书房里 4 架两米高的书架，被书砸死？陆瑟下意识地往旁边移了移屁股，算了，书这种人类进步的阶梯，随时也会变成人类灭亡的墓碑。

写点什么呢？

对了，死于煤气。这真是一个不错的主意。

陆瑟为自己的聪明才华感到折服。

这个小区从搬进来就没有送煤气，而且陆瑟从不做饭，就连厨房都很少进去。上次几个朋友来家里玩，中午饭点儿说想给陆瑟做个饭露一手，也是分外扫兴，最终大家在客厅吃了一顿麦当劳。

陆瑟说，就写死于煤气。在写这个故事之前，陆瑟蹑手蹑脚地去厨房闻了闻气味儿，然后又确认煤气阀门是拧在了 OFF 挡。他又轻轻地挪到各个房间，将所有的窗户都打开，以防万一物业公司良心发现送了煤气加上煤气管道泄漏。陆瑟站在阳台开完窗户，忽然想，幸亏刚才没想写跳楼，不然可能此刻一个脚滑就从楼上掉下去了也说不定。

一切准备妥当。

陆瑟开始在电脑上敲下第一行字。

写点儿轻松的吧，陆瑟想了想，写道："小说集只剩下最后一篇故事就可以交稿了。"这的确是真实的写照，因为在编辑的催稿下，这篇小说集拖了他大半年的光景。想到这里，他在电脑上敲下更为欢乐的画面。他让小说里的陆瑟美滋滋地盘腿坐在转椅上，撕开一包薯片，吃了起来。他甚至还强调小说里的主人公家中的电视里正在放着欢快的广告。

陆瑟最擅长的便是烘托气氛，相比于别的小说作者出神入化的惊奇故事，他唯一擅长做的是让故事陷入一种气氛中，在这种状态里，他的小说人物就算做一些平淡无奇的事情，也显得没那么难看。

　　陆瑟是个快枪手。很快，这篇以自己为主人公死于煤气的故事陆瑟已经写了两千多个字，房间里依然一片祥和。"我就说科学才是第一生产力，故弄玄虚的迷信最终都会被证伪"，陆瑟想，他边写边吹起喜庆的口哨。

　　这口哨里忽然夹杂起一些杂音，厨房里传出乒乒乓乓奇怪的声响。陆瑟把自己吓得一个激灵。他站起身来，一点一点地朝厨房走去。他推开门，那里还和往常一样，没有丁点儿的变化，但是此刻的陆瑟内心中已发生了巨大的变化，他祈祷自己千万不要具有任何超能力。

　　一只老鼠从地上飞快地蹿上灶台，沿着墙壁爬到了挂在墙壁上的壁橱里。

　　"我操。"陆瑟明白了，这只老鼠待会儿或许就会将管道咬破，然后使自己死于小说里构思的煤气中毒。他必须将老鼠赶走。

　　于是，他提起一根擀面杖，踮起脚尖，猛地将壁橱拉开。

　　"哗啦啦啦啦啦。"

　　橱柜里的废铜烂铁各种杂物像一片倒塌的山体，从里面倾泻而下，一根去年买的刀叉组合深深地插进了陆瑟的太阳穴里。

陆瑟躺在地上，墙壁上的一条煤气管道纹路清晰地出现在他的面前。

现在他终于相信自己有预言的能力，他努力地站了起来，跌跌撞撞想要走回到客厅里，将小说的结尾改写为"陆瑟得救了"。然而他远远没有想到，自己的预言能力有多么强大，他俨然已是一名伟大到谁也无法改变的预言家。

他倒在键盘上，最后一个自然段是：

陆瑟得 jjjjjjjjjjjjjjjjjjkkkkkkkkkkkkkkkkkkkkklllllllllllllllllllllllllllllll。